SUPERSAGGI

BIBLIOTECA UNIVERSALE RIZZOLI

H. J. Eysenck

LE PROVE D'INTELLIGENZA

traduzione e adattamento di BIANCA NAPOLITANI

Biblioteca Universale Rizzoli

ISBN 88-17-11511-8

Titolo originale dell'opera:
KNOW YOUR OWN I.Q.

prima edizione BUR: marzo 1978
prima edizione BUR Supersaggi: aprile 1989

LE PREMESSE
TEORICO-PRATICHE

QUOZIENTI INTELLETTUALI
E VALUTAZIONI DELL'INTELLIGENZA

"Conosci te stesso!" è una delle massime tramandateci dagli antichi greci. Sebbene tale conoscenza non abbia sempre il valore e l'utilità che gli antichi greci e i moderni psicoanalisti hanno ad essa attribuito, è fuor di dubbio che molti nutrono un profondo interesse per la propria personalità, il proprio carattere, la propria intelligénza, le proprie qualità e capacità, i propri complessi e così via. Ho tenuto spesso delle conferenze sulla natura e sulla valutazione dell'intelligenza a un pubblico profano e quasi sempre ho notato il suo disappunto quando dicevo che non esiste un mezzo facile e diretto col quale misurare il quoziente intellettuale. Con questo libro mi propongo di ovviare all'inconveniente, mettendo in grado chiunque sia capace di seguirne le istruzioni, di valutare con sufficiente precisione il proprio Q.I. In tal modo il libro potrebbe contribuire, sia pure in minima parte, alla realizzazione della massima citata all'inizio.

Ma prima d'imbarcarsi nell'impresa, sarebbe bene che il lettore scorresse il resto di questo capitolo che spiega brevemente e, spero, con chiarezza che cos'è il Q.I., come viene desunto, che cosa implica e a quali limitazioni e critiche è soggetta la sua determinazione.

Una semplice infarinatura di nozioni scientifiche - come ci è stato insegnato - presenta dei pericoli, e questo libro non trasformerà il lettore in esperto psicologo più di quanto un termometro non lo trasformi in medico. Nondimeno può essere utile o necessario sapere se si ha la febbre o no e, naturalmente, il termometro aiuta a rispondere a questa domanda anche se chi lo possiede non ha mai seguito un corso di medicina.

Dovendo trattare della valutazione dell'intelligenza, ritengo necessario innanzi tutto sradicare una concezione erronea largamente diffusa. Si crede spesso che i test d'intelligenza siano stati sviluppati ed elaborati sulla base di fondate teorie scientifiche; è anche opinione diffusa, però, che, per quanto "scientifica" possa essere la rilevazione dell'intelligenza, il suo valore pratico sia molto scarso, specialmente per certe difficoltà di scendere dall'astratto al concreto e per l'asserita inapplicabilità della scienza psicologica ai problemi della vita pratica. In realtà è vero l'opposto. I test d'intelligenza non sono affatto fondati su validi principi scientifici, e gli esperti non si trovano molto d'accordo sulla natura dell'intelligenza. Le discussioni su questo argomento, molto in voga tra il 1920 e il 1930, oggi sono quasi del tutto trascurate perché ci si è resi conto che erano pure esercitazioni verbali e come tali non suggerivano alcuna soluzione logica. D'altra parte, i test d'intelligenza hanno avuto, fin dall'inizio, un buon successo nell'applicazione pratica; e spiegheremo più sotto che cosa intendiamo per "buon successo" di un test d'intelligenza, tuttavia tale affermazione si fonda su prove tanto lampanti che chiunque abbia una sia pur minima competenza in questo campo, non la giudicherà esagerata.

Questi due fatti apparentemente contraddittori - che i test d'intelligenza non hanno una fondata base scientifica e che, nello stesso tempo, hanno avuto un buon successo nell'applicazione - sono, in realtà, parzialmente complementari. I test di intelligenza, originariamente elaborati nei primi anni di questo secolo, si rivelarono di grande utilità quando furono applicati ai vari problemi pratici. Per questa ragione, gli psicologi che se ne interessavano, ansiosi di utilizzare e sperimentare questi strumenti, tendevano a divenire tecnici piuttosto che scienziati desiderosi di compiere quelle indispensabili, fondamentali ricerche che ancor oggi, del resto, devono essere in gran parte effettuate. La società, sempre interessata all'immediata applicazione dei progressi tecnici e indifferente alla ricerca pura, deve naturalmente assumersi la sua parte di responsabilità per questa situazione insoddisfacente. È sempre stato molto più facile ottenere finanziamenti per indagini tecniche, destinate a migliorare, anche di poco, un determinato strumento o a estenderne l'uso, che affrontare il compito di dare solide basi scientifiche al metodo della valutazione dell'intelligenza. Compito che si presenta estremamente astratto, complesso e di non immediata utilità.

Forse il lettore stupirà che si possa misurare l'intelligenza senza servirsi di una base teorica. Risponderemo rifacendoci all'analogia del termometro da cui siamo partiti. La misura della temperatura comincia con la rudimentale e rapida osservazione psicologica che i nostri organi del senso percepiscono differenti gradi di temperatura che vanno da un massimo di freddo, attraverso una temperatura media, fino a un massimo di caldo. Naturalmente questa valutazione soggettiva non è molto precisa. Il lettore, volendo, può fare il seguente esperimento. Prepari tre bacinelle, una piena di acqua calda da poter essere sopportata senza eccessivo fastidio; un'altra piena di acqua quasi ghiaccia e ne ponga in mezzo una terza, piena di acqua tiepida. Se immerge per un minuto la mano sinistra nell'acqua calda e la destra nell'acqua fredda e dopo le tuffa tutte e due nella bacinella di mezzo, troverà che alla mano destra l'acqua sembra insopportabilmente calda mentre alla mano sinistra sembra intensamente fredda: la stessa temperatura può sembrare o calda o fredda in relazione a un'esperienza immediatamente precedente. Altri esperimenti del genere sono naturalmente possibili. Se, per esempio, un inglese invita un amico americano, durante l'inverno, in quella che egli ingenuamente ritiene sia una casa ben riscaldata si accorgerà subito che per lui è caldo ciò che invece è eccessivamente freddo per il suo amico, abituato a vivere in stanze riscaldate a temperature di dieci o quindici gradi più alte di quanto si usi nelle case inglesi.

Si parte, dunque, da un'entità estremamente soggettiva, ma nondimeno reale, che può essere misurata in modo molto rudimentale con criteri soggettivi. Tale valutazione basata sulle reazioni degli esseri viventi, piuttosto che sulla fisica, può infatti risultare sorprendentemente precisa, come fa fede la legge di Dolbear. Il fisico Dolbear nel 1897, mentre lavorava sul-

10

l'*Oecanthus niveus* *, la enunciò così: « Contare il numero degli stridii che questo animale emette in quindici secondi e aggiungere quaranta: la somma equivale alla temperatura del momento rilevata in gradi Fahrenheit ».

L'*Oecanthus niveus*, però, è raro e non è facile acchiapparlo; non si può quindi facilmente includere questo esperimento nel sistema generale delle leggi fisiche sul quale è basato il nostro sistema di misure. Di conseguenza, quando fu inventato il termometro, tutti riconobbero che si era fatto un importante passo avanti e la gente smise di misurare la temperatura basandosi sulle personali reazioni al caldo e al freddo, e si servì invece della dilatazione e della contrazione di una serie di sostanze. Ora, la cosa da tener presente è questa: non c'è una concordanza perfetta tra i dati del termometro e il giudizio individuale soggettivo. Se diamo a quest'ultimo valore di criterio e consideriamo i primi come un test sulla cui validità vogliamo discutere, dovremo concludere che il test lascia molto a desiderare. Basandoci, invece, sui dati del termometro, constatiamo, senza ombra di dubbio, che la mancanza di una concordanza assoluta è dovuta alle imperfezioni del criterio, cioè alle irregolarità e agli errori del nostro giudizio soggettivo e non agli errori del test in sé. Lo stesso si può dire quando paragoniamo i risultati di un test d'intelligenza con le nostre nozioni soggettive sulla intelligenza di una persona. È probabile che il divario sia dovuto a errori del test, ma forse è più verosimile che sia dovuto a errori delle nostre valutazioni soggettive.

* Varietà di grillo [*N. d. T.*].

Un altro argomento può esser degno di considerazione. Quando fu inventato il termometro, nel campo della teoria scientifica c'era ben poco che riguardasse la natura del calore o la sua misurazione. La misura della temperatura non fu desunta da una avanzata analisi teorica del calore; piuttosto la moderna teoria del calore si fonda in gran parte sui risultati ottenuti mediante l'uso del termometro e di altri strumenti di misura. Coloro che hanno una visione alquanto purista del progresso scientifico e che vorrebbero non aver niente a che fare con i test d'intelligenza finché non vi sarà una perfetta teoria della sua natura, dovrebbero convincersi che il progresso scientifico, in ogni campo, ha seguito ben altra strada. La teoria tende a essere il prodotto finale, il coronamento di una lunga serie di indagini che partono da nuove scoperte e da nuovi strumenti di misura. L'invenzione del test d'intelligenza porterà certamente, a suo tempo, a una migliore comprensione dei processi mentali, come infatti è già avvenuto sotto molti punti di vista. Ci si potrebbe dolere, invece, e a buon diritto, che troppo poco tempo sia stato dedicato dagli psicologi all'elaborazione scientifica di questa nuova scoperta, rispetto al suo sfruttamento commerciale e pratico.

I primi studi sui test risalgono a meno di un secolo fa. La psicologia è figlia di due genitori piuttosto diversi: la filosofia, che l'ha arricchita di parecchi dei suoi problemi originari, e la fisiologia che le ha suggerito parecchi dei suoi metodi originari. I filosofi si sono sempre interessati ai poteri conoscitivi della mente, a quei poteri, cioè, che riguardano l'applicazione intellettuale, il pensiero e la percezione del mondo esterno, e ai primi psicologi sembrò che alcune nozioni di fisiologia, come la velocità degli impulsi nervosi nel sistema nervoso centrale, potessero essere in rapporto con le differenze della capacità intellettuale. Furono fatti alcuni passi in questa direzione, compresa la misura della velocità di risposta dei riflessi tendinei della rotula, la velocità, cioè, con cui il piede salta quando si percuote la rotula con un martelletto di gomma. Il risultato di tutto questo lavoro fu in gran parte negativo: le differenze neurologiche del gruppo esaminato non permettevano neppure di distinguere gli studenti molto intelligenti da quelli deboli di mente, né i metodi impiegati furono perfezionati abbastanza da giungere a rilevare tali differenze. La stessa cosa si verificò quando si tentò di pesare e sezionare il cervello sia di soggetti di grandi capacità come di soggetti di scarsissima intelligenza. Furono trovate leggere differenze, ma troppo vaghe per concludere che si trattava di un tentativo riuscito. Finalmente si fece avanti lo psicologo francese Binet con la risposta esatta, tale da sembrare oggi ovvia, e cioè che le capacità e le funzioni mentali dovevano essere valutate mediante dei test mentali, che interessassero direttamente tali capacità e funzioni. Nel 1904 il ministero della Pubblica Istruzione a Parigi incaricò una commissione di studiare dei metodi per l'educazione dei bambini con sviluppo mentale subnormale che frequentavano le scuole di Parigi. Fu in risposta a questa richiesta pratica che Binet preparò la sua prima scala metrica. Egli elaborò una serie di trenta problemi o test, destinati a stimolare giudizio, comprensione e ragionamento. I problemi erano tali da poter essere compresi e risolti pur senza il vantaggio di una particolare preparazione scolastica. Si presentava al bambino un foglio su cui era disegnato un cerchio al quale mancava un piccolo tratto; porgendogli una matita gli si diceva: « Questo è un giardino nel quale hai smarrito la palla, questa apertura rappresenta l'entrata. Prendi la matita e mostrami come cercheresti la palla ». Ogni ricerca sistematica, cioè in cerchi via via decrescenti, o l'andare su e giù lungo sentieri paralleli è considerata una soluzione corretta, mentre l'andare qua e là senza una direzione precisa è considerato scorretto.

I problemi presentavano una larga gamma di difficoltà e Binet li graduò dal più semplice al più difficile a seconda della percentuale di risposte esatte date dai vari gruppi di bambini. Questo modo di affrontare il problema lo condusse finalmente al concetto di *età mentale*, per mezzo del quale egli classificò a livello di tre anni tutti i test normalmente superati all'età di tre anni, a livello di quattro anni tutti i test superati da bambini normali di quattro anni, e così via. Solo allora egli fu in grado di attribuire un'età mentale a ogni bambino sottoposto a test, a seconda del livello di maggiore difficoltà che era riuscito a superare. Così, l'età mentale di un bambino che risolveva i test a livello di otto anni, ma che non superava quelli a livello di nove anni, era valutata di otto anni, senza tener conto dell'età cronologica. Si potevano, naturalmente, sommare i test e in tal modo, un bambino che avesse superato tutte le prove a livello di otto anni e metà di quelle a livello di nove anni, avrebbe avuto un'età mentale di otto anni e mezzo. I primi autori espressero l'intelligenza o la stupidità del bambino come differenza tra la sua età cronologica e la sua età mentale. Così, un bambino di dieci anni con un'età mentale di otto era considerato in ritardo di due anni, mentre un bambino di sei anni con un'età mentale di nove era considerato di tre anni più precoce. Questo non è certo un buon metodo per esprimere una superiorità o un'inferiorità mentale, per due ragioni in reciproca relazione: per un bambino di due anni è un fenomeno sensazionale ed estremamente raro avere un'età mentale superiore di due anni. Neanche un bambino su 50.000 raggiunge tale condizione. Invece, all'età di tredici o di quattordici anni, una superiorità mentale di due anni è degna appena di nota e significa ben poco. Occorreva, dunque, un metro più uniforme. Inoltre, se si sottopongono i bambini a prove ripetute nel tempo, si trova che il numero di anni in anticipo o in ritardo aumenta man mano che essi crescono. Il bambino che è in anticipo di due anni all'età di due anni, sarà in anticipo di circa otto anni all'età di otto anni. In tal modo rimane costante anziché la *differenza*, il *rapporto* tra l'età mentale e l'età cronologica: tale rapporto (solitamente moltiplicato per 100, senza contare i decimi di punto) è riportato come quoziente d'intelligenza. Prendiamo due bambini, tutti e due con un'età mentale di otto anni. Il primo ha un'età cronologica di sei anni: il suo Q.I. sarebbe quindi di 133; l'altro ha un'età cronologica di dodici anni e il suo Q.I. sarebbe dunque di 67. Il Q.I. ha raggiunto una rapida popolarità e, a dispetto delle sue numerose imperfezioni, è rimasto probabilmente uno dei concetti psicologici più largamente noti tra gli insegnanti, gli psichiatri, gli assistenti sociali e tra quanti hanno a che fare in qualche modo con la psicologia.

Come intendere in termini sociali due differenti Q.I. e con quale frequenza vi sono persone con un Q.I. di 140 o di 80? Prendiamo per primo quest'ultimo punto. Con un tipico test d'intelligenza moderno si troverà che circa il 50 per cento della popolazione ha un Q.I. tra 90 e 110 e che il 25 per cento è al di sopra e il 25 per cento al di sotto di questo livello. (Il 100 indica, per definizione, la media della popolazione.) Oltre questo grande gruppo centrale si ha circa il 14,5 per cento con Q.I. da 110 a 120; il 7 per cento con Q.I. tra 120 e 130; il 3 per cento con Q.I. tra 130 e 140 e solo il 1/2 per cento al di sopra di 140. Grosso modo ci si aspetterebbe che i posti di una scuola secondaria andassero a ragazzi con Q.I. superiore a 115 o giù di lì e che gli studenti universitari avessero in media un Q.I. di circa 125. Per prendere la laurea a pieni voti o un equivalente titolo di merito, lo studente dovrebbe avere un Q.I. di almeno 135 o 140.

Quando ci riferiamo al livello della media inferiore troviamo un quadro complementare, con il 14,5 per cento di soggetti con Q.I. tra 80 e 90; il 7 per cento con Q.I. tra 70 e 80 e il resto con Q.I. al di sotto di questo livello. In realtà, questo quadro così simmetrico, che ha percentuali uguali al di sopra e al di sotto della media, è un po' idealizzato. C'è un piccolo numero di alterazioni metaboliche specifiche e di altra natura che influiscono negativamente sull'intelligenza e aumentano il numero di individui con Q.I. molto basso; nel nostro schema descrittivo, non abbiamo preso in considerazione questo piccolo gruppo.

I soggetti con Q.I. al di sotto di 70 sono talora classificati nei libri di testo come deficienti mentali, ed esiste una distinzione ancora più precisa entro questo gruppo che lo suddivide in deboli mentali, con Q.I. tra 50 e 70, imbecilli, con Q.I. tra 25 e 50, e idioti con Q.I. al di sotto di 25. Il così detto debole mentale può imparare a svolgere mansioni utili e raggiungere, sotto sorveglianza, un certo adattamento. L'imbecille deve vivere in un istituto, ma può provvedere ai semplici bisogni personali ed evitare elementari pericoli, mentre l'idiota non può fare nemmeno questo. In effetti, tuttavia, la diagnosi di deficienza mentale viene fatta sulla base di un criterio che include molti più fattori del semplice test di Q.I., e che comunque ha poco a che vedere con l'intelligenza. Sottoponendo a test i ricoverati in istituti per deboli mentali, si è trovato che alcuni di essi hanno un Q.I. superiore a 125, e per quanto ciò possa essere dovuto in molti casi a errori negli esami originari, solitamente effettuati, in passato, da ufficiali sanitari che avevano poca preparazione nell'applicazione dei test d'intelligenza e modeste cognizioni dell'interpretazione dei risultati, rimane tuttavia il fatto che il concetto di debolezza mentale, nei suoi aspetti legali, si riferisce solo superficialmente all'intelligenza.

Ci dovremmo aspettare che i test di Q.I. mostrino le differenze della capacità mentale tra persone che svolgono diversi tipi di lavoro, in relazione ai requisiti intellettuali che tali occupazioni richiedono. Molti studi sono stati effettuati al riguardo e la tabella qui sotto mostra alcuni dei risultati che si riferiscono ai Q.I. di gruppi di persone scelte tra otto differenti strati sociali. Questi sono elencati sotto la voce "genitori". (C'è anche una colonna analoga per i "bambini": ciò non significa che questi bambini siano figli di quei particolari genitori, ma che gli uni e gli altri appartengono alla stessa categoria sociale.)

Q.I. DI GRUPPI DI OTTO DIFFERENTI STRATI SOCIALI

| | Q.I. | |
Categorie Professionali	Genitori	Bambini
1. Professionisti con cariche direttive e amministrative	153	120
2. Professionisti con cariche tecniche ed esecutive	132	115
3. Operai altamente specializzati; impiegati	117	110
4. Operai specializzati	109	105
5. Operai semispecializzati	98	97
6. Operai non specializzati	87	92
7. Manovali	82	89
8. Ricoverati per deficienza mentale	57	67

Questi dati sono tratti da una tabella pubblicata da sir Cyril Burt.

Ci siamo qui occupati dei dati relativi ai genitori; in seguito esamineremo per quali ragioni quelli relativi ai bambini siano completamente differenti. Si sarà notato che, dal gruppo dei soggetti con cariche direttive e amministrative a quello dei lavoratori non specializzati e ai manovali, il Q.I. decresce regolarmente da una media di 153 fino a un minimo di 80. Naturalmente questi dati indicano la media per ogni gruppo; di solito i soggetti di un gruppo e quelli di un altro si embricano. Il più intelligente degli spazzini potrebbe certamente raggiungere un punteggio maggiore del più tardo degli avvocati, così come il punteggio del più intelligente dei vagabondi o dei manovali potrebbe essere migliore rispetto a quello del più tardo dei medici o dei capitani. Tra intelligenza e condizioni sociali esiste sicuramente un rapporto che, però, è ben lungi dall'essere perfetto. Se si cerca di predire l'intelligenza di una persona in base alla sua professione, vi sono maggiori probabilità di cogliere nel segno di quante ve ne siano se si tenta d'indovinare a caso; ma gli sbagli sarebbero ancora così frequenti che non varrebbe la pena insistere con tale sistema.

Quanto abbiamo detto basta a illustrare la distribuzione dell'intelligenza e i suoi "significati" in relazione all'occupazione e alle condizioni sociali.

Veniamo ora ad alcune difficoltà cui dà origine il concetto di Q.I. Innanzi tutto c'è il problema della *costanza*. Il Q.I. si può evidentemente utilizzare secondo due diversi punti di vista. Possiamo dire: ecco due bambini; chi dei due ha il Q.I. più alto ed è quindi più tagliato a eseguire questo difficile lavoro? In tal modo siamo portati a considerare il Q.I. come una misura della capacità attuale, senza tener conto di quanto esso implica per il futuro. Possiamo utilizzarlo, però, in maniera completamente diversa se diciamo: a quello dei due bambini che ha il Q.I. più alto daremo un'istruzione classica, mentre l'altro frequenterà una scuola di avviamento. In questo caso adoperiamo il Q.I. come una caratteristica semipermanente del bambino, supponendo che, se egli è più intelligente adesso, resterà tale per tutta la vita. Se facciamo questa seconda ipotesi, chiaramente implicita in procedimenti come l'esame dell'11 + *, allora dobbiamo essere in grado di dimostrare che il Q.I. rimane relativamente costante di anno in anno e che, in altri termini, non si verifica che un bambino il quale ha un Q.I. di 120 quando affronta l'11 +, ne abbia uno di 80 quando lascia la scuola.

La determinazione della costanza del Q.I. è un problema molto complesso, ma che in definitiva si riduce a un semplice confronto tra il Q.I. raggiunto da un bambino a una certa età e quello raggiunto dallo stesso soggetto a un'età superiore. Tale paragone dipende da diversi fattori. In primo luogo dall'età del bambino all'epoca del primo test. I Q.I. ottenuti in età molto giovane non hanno praticamente alcun valore e, salvo in casi di gravi deficienze mentali, quelli ottenuti prima dei sei anni sono di ben poca utilità. Il rapporto tra un gruppo di varianti e un altro è solitamente espresso come coefficiente di correlazione che raggiunge il valore di uno quando esiste una concordanza assoluta, e il valore di zero quando non

* Esame psicologico attitudinale cui vengono sottoposti obbligatoriamente, in Inghilterra, tutti i bambini che abbiano terminato l'istruzione primaria. In base al risultato di questo esame, il bambino completerà la sua preparazione scolastica o nella *grammar-school*, con indirizzo classico, o nella *secondary technical-school*, con indirizzo tecnico e industriale, oppure nella *secondary modern-school*, dove affluiscono i soggetti più tardi che non sono in grado di seguire studi più impegnativi e che dopo i quindici anni non frequenteranno più istituti scolastici [N. d. T.].

c'è altro che una concordanza accidentale. Confrontando i Q.I. di soggetti di circa quattro anni con quelli raggiunti dai medesimi una volta cresciuti, si è di solito constatato che le correlazioni sono scarsissime e in genere non lontane dallo zero, così che una predizione è impossibile. Sei anni, dunque, è forse l'età minima che consente di prendere in seria considerazione i test di Q.I. - per quanto i test fatti a questa età *non andrebbero ancora presi molto sul serio!*

La seconda variante da prendere in esame è che la concordanza tra i primi e gli ultimi test diminuisce via via che aumenta il numero degli anni o, in altri termini, la concordanza tra i primi e gli ultimi test si riduce via via che aumenta il tempo che intercorre tra i due eventi. Sembra che qui vi sia un rapporto logico e legittimo: se le prime e le ultime prove sono entrambe molto vicine, separate cioè da una settimana o anche meno, allora la correlazione sarà di circa · 95. Per ogni anno che passa diminuisce di · 04 punti fino all'età di circa sedici anni.

Questo ci porta a considerare il terzo elemento, ossia l'età terminale. Quando un individuo ha raggiunto la maturità, il suo Q.I. si è in massima parte stabilizzato ed è difficile che cambi molto, a meno che il suo sistema nervoso centrale non sia leso da malattie organiche. In tal modo la correlazione tra i test iniziali e terminali, se eseguiti entrambi dopo l'età di vent'anni, tenderà ad essere intorno agli 8 punti, senza tener conto dello spazio di tempo intercorso.

Sulla base di quanto abbiamo detto, apparirà abbastanza evidente che, nella controversia sull'11 + molti difendono delle posizioni che non sono rette dai fatti. I seguaci dei metodi attuali sbagliano quando sostengono che il Q.I. del bambino di undici anni è sempre costante; intervengono, invece, variazioni ben precise che in certi bambini possono essere considerevoli. Coloro che condannano l'esame dell'11 + partendo dal presupposto che non è possibile fare una predizione, dato che l'intelligenza dei bambini a undici anni non si è sufficientemente stabilizzata, sbagliano ugualmente, perché una predizione, anche se imperfetta, è certamente possibile a un grado e con una precisione di cui il profano non si rende spesso conto. Come succede frequentemente in casi del genere, gli uni e gli altri tentano di sostenere le loro tesi partendo da preconcetti piuttosto che da dati concreti.

A questo punto vale la pena illustrare quanto ho rilevato all'inizio di questo capitolo riguardo all'impiego tecnologico dei test d'intelligenza, qualora manchino le fondamentali nozioni scientifiche. I test sono elaborati e convalidati secondo il primo dei punti di vista da me accennati uno o due paragrafi sopra, ossia sulla base del confronto tra, per esempio, un Giovannino *hic et nunc* e un Giacomino *hic et nunc*. Non esiste una ragione plausibile per cui i particolari problemi dei test atti a questo fine debbano essere anche i più idonei a predire l'intelligenza di Giovannino e di Giacomino tra dieci anni. Infatti, un paio di indagini su piccola scala partendo da gruppi di bambini fino al momento in cui è stato possibile utilizzare il loro Q.I. di adulti hanno permesso il confronto tra il valore di predizione di ciascun *tema* del test e la sua utilità nel determinare l'attuale stato intellettuale del bambino. È risultato che esiste una certa relazione tra i due concetti, cioè, un *tema* che sia la misura corretta dell'intelligenza di un bambino *al presente*, può non essere più esatto riguardo alle sue *capacità* future. Se vogliamo adoperare i test d'intelligenza come mezzo di rilevazione della capacità futura e, al tempo stesso, di quella attuale, così come è chiaramente implicito nel procedimento dell'11 +, allora non solo bisognerebbe effettuare un gran numero di ricerche intorno a questo problema, ma bisognerebbe anche elaborare gruppi di reattivi completamente nuovi, capaci di offrire anche una maggiore esattezza di predizione rispetto agli altri di uso corrente. Finché non si darà l'avvio a un lavoro sull'argomento è improbabile che si giunga a conoscere più estesamente per quali ragioni il Q.I. di alcuni bambini aumenti e quello di altri diminuisca, come si possano prevedere tali variazioni e che cosa si possa fare per influire in qualche modo su di esse, sia per accelerare il processo ascendente, sia per rallentare quello discendente.

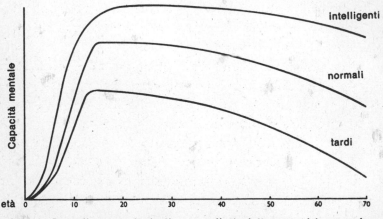

Fig. 1. Lo sviluppo e il declino con l'età della capacità mentale in gruppi di soggetti intelligenti, normali e tardi.

Ammesso che il Q.I. sia *di regola* costante in certe condizioni ben precise, c'imbattiamo adesso in una grossa difficoltà nel determinare i Q.I. dei bambini più grandi e degli adulti. Lo sviluppo e il declino, con l'età, della capacità mentale sono stati studiati da parecchi psicologi e sembra che i risultati siano quelli indicati nel diagramma della fig. 1. Dalla nascita fino ai dodici anni circa c'è uno sviluppo abbastanza rapido che, in seguito, rallenta e raggiunge la sua punta massima intorno ai quindici anni; rimane a un discreto livello per un certo periodo di tempo e infine declina. Questo è il quadro della media, ma la media può trarci in inganno. In individui di scarsa intelligenza, con Q.I., cioè, di 80 o anche più basso, lo sviluppo si arresta prima, il declino comincia prima ed è molto più rapido di quanto avviene per il grande gruppo medio con Q.I. tra 90 e 110. Viceversa, in individui con Q.I. alto, ossia con Q.I. da 120 in su, lo sviluppo della capacità mentale è più prolungato mentre il declino è più lento. È dunque evidente che di regola l'intelligenza aumenta linearmente solo tra i sei e i dodici anni circa e di conseguenza non è possibile calcolare correttamente un Q.I. oltre l'età di dodici o al massimo di quindici anni. Per chiarire meglio il concetto, il lettore immagini un individuo perfettamente normale, che abbia un'età cronologica di quindici anni e una età mentale di quindici anni, con un Q.I., quindi, di 100. Come mostra la fig. 1, l'età mentale non aumenterà, ma rimarrà piuttosto stabile. L'età cronologica, invece, andrà aumentando finché all'età cronologica di trent'anni, con un'età mentale di quindici, egli si troverà ad avere un Q.I. di 50!

Ai sessant'anni, con l'età mentale effettivamente in declino mentre quella cronologica è sempre in aumento, egli dovrebbe avere un Q.I. suppergiù di 20. Ciò è naturalmente assurdo, e il Q.I., definito come rapporto tra età mentale ed età cronologica, non è più applicabile dopo i dodici o i quindici anni.

Per trarci d'impaccio ricorriamo a un espediente piuttosto semplice di trasformazione statistica. Sottoponiamo ancora i nostri soggetti a una batteria di test d'intelligenza e quindi contiamo il numero di soluzioni corrette raggiunto da ciascuno. Indi calcoliamo il numero medio di risposte corrette; questo numero che indica la media o la risposta media del gruppo si assume come Q.I. di 100 che, ancora per definizione, è la media o il Q.I. medio del gruppo. In modo analogo, cerchiamo di scoprire i limiti entro i quali sta il 50 per cento di tutto il punteggio, e assumiamo tali limiti come quozienti intellettuali di 90 e di 110. Possiamo così continuare ad accoppiare la distribuzione del punteggio ottenuto con la distribuzione nota di Q.I., fino al momento in cui si possa esprimere ciascun punteggio ottenuto come punteggio di Q.I. individuale. Pertanto, attribuire ad un adulto un Q.I. è, in un certo senso, un artificio; ciò che di fatto possiamo dirgli è che, se il concetto di Q.I. potesse essere applicato alla sua età, *in tal caso* questo dovrebbe essere il suo Q.I. Vi sono naturalmente metodi statistici migliori per indicare la capacità relativa di una persona, ma il concetto di Q.I. è una nozione così diffusa, e quanto esso implica è così ben compreso anche da chi non è psicologo, che sarebbe stata una perdita maggiore abolirlo che mantenerlo nel suo significato puramente statistico.

Prendiamo ora in esame la questione della validità del Q.I. come misura dell'intelligenza. Qui, fin dal primo momento, cozziamo contro un ostacolo: non esiste infatti un criterio soddisfacente. I profani si trovano ancor meno d'accordo degli esperti sulla natura dell'intelligenza e su quanto sta a dimostrare in modo accettabile la sua esistenza; è facile arguire, infatti, che se vi fosse un criterio soddisfacente, i test d'intelligenza sarebbero probabilmente del tutto superflui! Comunque possiamo tutti convenire, sulla base di un giudizio superficiale e affrettato, che le persone molto intelligenti, a parità di condizioni, riescono meglio in occupazioni intellettuali, in compiti, cioè, che implichino l'apprendimento delle repicroche connessioni tra fatti e principi nuovi, l'applicazione di tali fatti e principi a nuove situazioni, l'invenzione o la scoperta di relazioni tra fatti esistenti e così via. Almeno in parte, pur se non completamente, le scuole e le università tentano di introdurre gli alunni e gli studenti nel campo della conoscenza che esige l'esercizio di tali capacità, e la buona riuscita dello studente è parzialmente valutata per mezzo dell'esame. Naturalmente si è ormai compreso che vi sono molti altri fattori, oltre alla capacità intellettuale, che determinano il buon esito degli esami, e non bisogna aspettarsi un rapporto esatto tra la riuscita a scuola o all'università e il Q.I.; tuttavia, se codesto rapporto mancasse completamente, si dovrebbe sospettare della validità dei test.

I risultati di un grandissimo numero di indagini, accuratamente progettate, convalidano la conclusione che i test di Q.I., correttamente elaborati, somministrati e valutati, mostrano una netta corrispondenza con la riuscita del bambino a scuola o del giovane all'università. Gli studenti che conseguono la laurea a pieni voti hanno di solito, al momento dell'ammissione all'università, un Q.I. più alto di dieci punti rispetto agli studenti laureatisi con una votazione più bassa; gli studenti promossi hanno in genere un punteggio di circa quindici punti più alto di quelli bocciati. Lo stretto rapporto trovato tra il Q.I. e la riuscita all'università è piuttosto sorprendente, specie se si considera che l'intero *campo di oscillazione* delle capacità di tutti gli studenti è molto limitato. Il successo riscosso da questi reattivi dovrebbe essere paragonato al pressoché costante insuccesso che ha accompagnato i metodi tradizionali di selezione per mezzo di tecniche d'intervista. Si è constatato più di una volta che, tra il successo accademico e la predizione di successo accademico fatta mediante abili interviste - senza l'aiuto dei test di Q.I. - non vi è praticamente alcun rapporto. In questo settore, evidentemente, i test di Q.I. riescono a misurare qualcosa di essenziale che non si manifesta neppure agli sperimentati intervistatori né ai tecnici che hanno speso molti anni a perfezionare il loro giudizio soggettivo.

Si è spesso affermato che l'opinione dell'insegnante sull'intelligenza del bambino abbia maggior valore dei risultati degli esami, ma tende ad esserci un rapporto abbastanza stretto, qualora si facciano dei raffronti tra le valutazioni fatte dagli insegnanti e i test di Q.I. È interessante studiare, fra tutti questi casi, quelli che non presentano una concordanza, quei casi, cioè, dove il test d'intelligenza e l'insegnante, o il test d'intelligenza e i risultati degli esami non corrispondono. Coloro che se ne sono occupati hanno di solito constatato che la discordanza è dovuta all'uno o all'altro dei seguenti fattori:

1. L'opinione dell'insegnante sull'intelligenza del bambino dipende troppo dalla speciale attitudine o dall'interesse di quest'ultimo alla materia trattata dall'insegnante. Ciò è facilmente dimostrabile se si confrontano le valutazioni di diversi maestri sullo stesso gruppo di bambini: Giovannino tenderà ad essere giudicato molto intelligente dall'insegnante d'inglese perché gli piace questa materia nella quale va abbastanza bene, mentre dal maestro di matematica sarà giudicato poco intelligente perché è mal disposto verso questa disciplina, la odia e con i numeri non riesce a cavarsela. Viceversa Giacomino, che ha lo stesso Q.I. di Govannino, poiché gli piace giostrare coi numeri, ma non altrettanto con le parole, è stimato molto intelligente dall'insegnante di matematica e poco intelligente da quello d'inglese. Tali considerazioni, non essenziali e irrilevanti, non influiscono minimamente sui test d'intelligenza e si è osservato che tra questi e i giudizi formulati da diversi insegnanti sullo stesso gruppo di bambini, vi sono correlazioni più alte *di quelle che intercorrono tra i giudizi stessi*. Si ottengono di solito maggiori correlazioni paragonando i risultati del Q.I. con i giudizi espressi da un intero gruppo d'insegnanti, dove le antipatie e le simpatie individuali si annullano a vicenda.

2. Un bambino o uno studente può essere bocciato non già perché manchi d'intelligenza, ma perché non ha costanza. Occorre, naturalmente, una certa dose

di applicazione prima che una materia venga approfondita e non c'è ragione di supporre che il bambino intelligente si applichi necessariamente con maggiore energia e volontà di un bambino un po' tardo. Per fortuna è possibile misurare obiettivamente tali tratti del carattere come la costanza (come ho già esposto in *Sense and Nonsense in Psychology*) e i risultati dimostrano con molta chiarezza che questo è infatti un importante fattore supplementare dell'intelligenza da cui è al tempo stesso indipendente. I test d'intelligenza sono spesso criticati perché trascurano fattori importanti quali il carattere e la personalità, e la costanza è spesso menzionata come una delle qualità che determina il successo. Tuttavia questa obiezione è fuor di luogo. Non si critica il termometro perché segna solo la temperatura del paziente e non l'altézza e il peso; ci si è resi conto che uno strumento di misura è utile e valido in quanto valuta una qualità sola. Il test di Q.I. valuta l'intelligenza e qualora valutasse altre qualità, come la costanza, verrebbe meno al suo obiettivo originario. Se desideriamo conoscere la perseveranza di una persona, o la sua tendenza all'ansietà, o un qualsiasi altro tratto della sua personalità, non aspettiamoci che tali informazioni ci siano fornite da un reattivo d'intelligenza. Infatti, se intelligenza, costanza e ansietà determinassero contemporaneamente un Q.I., allora, nel caso di Giovannino, potremmo dire che ha un Q.I. di 90 perché è molto tardo ma perseverante, e ha una leggera tendenza all'ansietà, oppure perché è molto intelligente ma ansioso, e manca di costanza. Potrebbe infatti intervenire un certo numero di interazioni di codesti elementi, cosicché l'informazione sarebbe del tutto inutile mancando ogni conoscenza dello stato di Giovannino rispetto a ciascuno, separatamente, di queste tre caratteristiche. Se desideriamo conoscere l'intelligenza, la costanza e l'ansietà di una persona, ci occorrono, allora, tre mezzi di rilevazione e non uno, e non è logico criticare un test d'intelligenza perché non riferisce niente sulle caratteristiche non intellettuali.

3. Una terza causa di discordanza tra le misure di Q.I. e i criteri esteriori può essere riferita alla motivazione. Supponiamo di portare un cavallo all'abbeverata così come portiamo un bambino a scuola: come non possiamo obbligare il cavallo a bere così non possiamo obbligare il bambino a imparare senza che egli sia di fatto "motivato". I critici dei test di Q.I. hanno talvolta argomentato che Winston Churchill, tanto per fare un esempio, era un pessimo scolaro e che era molto tardo nell'apprendimento delle cognizioni accademiche; da ciò si è dedotto che egli avrebbe dato pessima prova di sé coi test di Q.I. e che, dunque, la sua conseguente dimostrazione di grandi capacità nega il valore dei test. A prescindere dall'evidente assurdità di credere e di affermare che egli avrebbe dato cattiva prova coi test, quando in realtà, nessun reattivo gli venne somministrato, codesto argomento non sta in piedi perché presuppone che Churchill avesse dei motivi per apprendere l'insegnamento scolastico. La sua biografia contraddice chiaramente tale supposizione, e d'altra parte si è constatato, specialmente in bambini di grandi capacità, che l'insegnamento delle materie scolastiche impartito a livello del Q.I. medio della loro classe, li rende ribelli al

punto che preferiscono far di testa propria leggendo ciò che a loro interessa e non prestando attenzione a ciò che viene loro insegnato. In tali condizioni il bambino molto intelligente può non brillare agli esami ed entrare in possesso di ciò che gli spetta nella vita solo più tardi, quando la capacità e la motivazione servono entrambe al perseguimento di un valido scopo. Questo, beninteso, non accade sempre, e vi sono molte persone estremamente capaci che non si realizzano perché insufficientemente motivate.

Queste sono le principali cause di discordanza tra test e rendimento, test e valutazione, ma naturalmente le ragioni per cui una persona può non vivere secondo quanto prometteva sono innumerevoli. Da un archivio di studenti inglesi, con Q.I. molto alto, respinti all'esame di laurea, ho preso come venivano i seguenti casi: T. S., Q.I. di 152, mancò ripetutamente alle lezioni di medicina. Quando entrò all'università, gli morì il padre e dovette mantenere se stesso, la madre e una sorellina, facendo un lavoro notturno che gli lasciava troppo poco tempo ed energia per seguire i suoi studi impegnativi. D. R., con un Q.I. di 146, fu espulso dal *college* nonostante il rendimento superiore, perché sorpreso a rubare danaro ai suoi compagni. S. B., con un Q.I. di 161, non giunse a completare il corso perché scappò con la moglie del professore. L'elenco potrebbe prolungarsi all'infinito.

In complesso le persone con Q.I. basso non riescono in studi accademici e intellettuali; questa affermazione è quanto di più vicino a una legge immutabile la psicologia abbia finora raggiunto. La ragione sta nel fatto che l'intelligenza è un requisito necessario per il successo e non c'è costanza o altra qualità che possa compensare la mancanza di capacità. Beninteso, il ragionamento inverso non è altrettanto esatto. L'intelligenza è causa necessaria, ma non sufficiente, di successo, e di conseguenza studenti molto intelligenti possono o non possono riuscire a seconda delle circostanze, delle caratteristiche personali, del grado di motivazione e di molti altri fattori di natura non intellettuale. Alcuni di questi fattori, come la costanza, possono essere valutati e altri no, sia perché non siamo abbastanza progrediti per valutarli correttamente, sia perché, per principio, è improbabile che possano mai venir misurati. Vi sono quindi precise limitazioni al genere di predizione che possono fare i test di Q.I., ma tuttavia, una volta comprese, diviene più facile apprezzare il ben determinato contributo che tali reattivi possono offrire.

Le valutazioni degli insegnanti, i successi scolastici e quelli universitari sono i soli criteri che possono esser riferiti ai test d'intelligenza? La risposta a questa domanda è nettamente negativa, sebbene, quanto più ci si allontani dagli studi accademici, tanto più facilmente sorgano dubbi sull'effettivo rapporto dell'intelligenza con gli studi in questione. L'impiego dei reattivi mentali si è diffuso forse maggiormente nelle forze armate, dove sono stati applicati con intendimenti selettivi. Questo lavoro cominciò negli Stati Uniti durante la prima guerra mondiale, e dai test del tipo Binet, raccolti individualmente, si passò direttamente ai test di gruppo, sul genere di quelli presentati in questo libro, presi su vasti gruppi, collettivamente. Lo scopo di questi reattivi era originariamente quello di

32

aiutare nella selezione degli ufficiali e di scartarne i deboli mentali. Il loro successo fu così evidente persino alla mentalità conservatrice militare che l'impiego se ne è esteso a tutto il mondo occidentale e oggi sono adoperati per la selezione di uno svariatissimo gruppo di diversi specialisti dell'esercito. Per dare al lettore un'idea del tipo di risultati ottenuti ho riprodotto nelle figg. 2 e 3 quelli di due indagini su vasta scala compiute su un largo numero di persone e che si riferiscono rispettivamente alle selezioni di allievi ufficiali e di piloti. Le due indagini sono state eseguite negli Stati Uniti durante la seconda guerra mondiale e per la selezione dei piloti furono aggiunti dei test attitudinali a quelli di Q.I. in modo da formare un'intera batteria da presentare agli eventuali candidati.

I diagrammi parlano chiaramente da sé. Oltre il 90 per cento di tutti gli uomini con punteggio di 140 e più, nella A.G.C.T. (*Army General Classification Test*) riuscì a ottenere la nomina a ufficiale; meno del 50 per cento di quelli con un punteggio inferiore a 110 riuscì ad ottenerla. Tra i piloti del corso primario di addestramento fu eliminato solo il 4 per cento di quelli classificati come "pilot stanine 9", ossia con il punteggio più alto nella batteria di test; fu eliminato il 7 per cento di quelli classificati come "pilot stanine 1", vale a dire con il punteggio più basso. Si noti anche che per ogni caso c'è una regolare progressione da un estremo all'altro e quindi, via via che aumentano i test eseguiti, diminuisce la probabilità di un insuccesso.

La dimostrazione di un rapporto così preciso può colpire il lettore, ma può anche darsi che egli si chieda come mai la relazione non sia addirittura più stretta di quanto mostrino questi dati. La risposta a tale interrogativo sta in gran parte nelle imperfezioni insite nel criterio. Per ottenere una correlazione molto stretta tra un test e un criterio, il criterio. così come

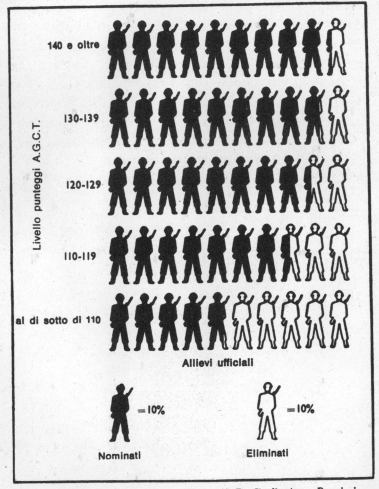

Fig. 2. (Riprodotta per concessione di E. G. Boring. *Psychology for the Armed Services*).

il test, deve essere quasi perfetto. Per quanto riguarda le due suddette indagini, il criterio dette risultato positivo sia nel caso del corso addestramento ufficiali sia in quello del corso primario di addestramento di volo. Ci sono ampie prove che questi criteri non solo sono ben lungi dall'essere perfetti, ma comportano un grosso errore. Di conseguenza un candidato potrebbe esser promosso ufficiale da una commissione, ma essere respinto da un'altra. Similmente un pilota potrebbe esser promosso con un gruppo di insegnanti, ma esser bocciato con un altro. Una analisi minuziosa di tali prove sarebbe troppo tecnica e ci porterebbe lontano, ma un'imparziale esame dei fatti suggerisce che la mancanza di una relazione molto stretta è dovuta più probabilmente a errori del criterio che a er-

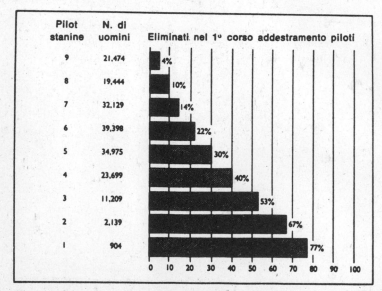

Fig. 3. (Riprodotta per concessione di J. C. Flanagan da *Science*. 1947).

rori dei test in sé. Sembra che anche nel settore militare avvenga la stessa cosa, e nonostante il fatto che sia agli ufficiali come ai piloti siano necessarie, ovviamente, molte altre qualità diverse da una grande capacità mentale, tuttavia i test d'intelligenza sono di notevole impiego pratico come mezzo di selezione.

Come ultimo esempio pigliamo il successo nella vita quotidiàna. È anche qui evidente che ad esso contribuiscono molte altre qualità diverse dall'intelligenza: la perseveranza, la fortuna, le relazioni sociali, la sfrontatezza, l'aggressività, e così via. Ma, nondimeno, potrebbero sorgere ancora dei dubbi sulla validità dei testi d'intelligenza se tra questi e il successo nella vita non vi fosse alcun rapporto. Ne abbiamo in parte già dato la dimostrazione nello specchietto riportato alla pagina 18, dove appare una chiara tendenza a mettere in relazione il Q.I. con la posizione sociale. Altri studi lo hanno posto in correlazione col guadagno, dimostrando che anche qui si potrebbe evidenziare l'esistenza di un esplicito rapporto. Vi sono naturalmente precisi limiti a questa argomentazione come pure ai dati su cui è basata. Vi sono alcuni gruppi di soggetti molto intelligenti, specialmente professori, assistenti universitari e anche insegnanti, la cui intelligenza, rilevata dai test, non è rimunerata dalla società in proporzione al contributo da essi dato. Se si dovesse tracciare un grafico della correlazione tra Q.I. e guadagno, allora, codeste categorie spiccherebbero come un dito gonfio nel gruppo "alto Q.I. - basso - rispetto al guadagno medio". Ma queste ed altre eccezioni, tra cui vanno inclusi gli scienziati che lavorano nell'industria e certe categorie del *Civil Ser-*

vice *, sono comprensibili se inquadrate nello sviluppo storico e non contraddicono la nostra generalizzazione che, in linea di massima, un gran successo nella vita sta, entro giusti limiti, in correlazione col Q.I. Tale rapporto è decisamente più basso di quello che si raggiunge a scuola, all'università, o persino nell'esercito; di conseguenza le predizioni del Q.I. sulla probabilità di successo nella vita non possono essere molto sicure. Per contro una predizione negativa (Q.I. basso = insuccesso), è probabilmente più esatta della positiva (Q.I. alto = successo nella vita), pur non essendo quest'ultima affatto sicura. Viene riportato il caso di almeno un soggetto oligofrenico, con un Q.I. appena inferiore a 70, che, dimesso da un istituto su richiesta della moglie, divenne un ottimo commerciante, proprietario di una grande casa in città, di una villa al mare e di alcune automobili, e che avviò tutti i figli agli studi universitari. Nel suo caso la fortuna, l'indole estroversa e altre qualità pertinenti al carattere ebbero un peso decisivo nel condurlo al successo, ma il suo caso (che non è unico) dimostra chiaramente la precarietà di qualsiasi predizione su di un probabile livello di reddito fatta in base al Q.I.

Abbiamo esaminato fino ad ora alcune delle obiezioni che possono esser sollevate contro i test di Q.I. e le abbiamo trovate insufficienti. Dobbiamo ora esaminarne altre che, forse, hanno maggior fondamento e che, sotto certi aspetti tutt'altro che trascurabili, pongono dei limiti all'utilità dei quozienti intellettuali, a meno che non si cerchi di superare le difficoltà pro-

* Pubblica amministrazione [*N.d.T.*].

spettate. La prima obiezione che viene fatta alquanto frequentemente riguarda gli effetti della pratica e dell'insegnamento. Evidentemente non sarebbe giusto paragonare i Q.I. di due bambini di cui uno non ha mai visto prima un test d'intelligenza, mentre l'altro ha ricevuto continuamente lezioni su test di questo tipo, a meno che non si possa dimostrare che questo insegnamento non ha alcun effetto. La situazione è piuttosto complicata, ma sembra che i fatti siano i seguenti: la maggior parte dei bambini raggiunge Q.I. più alti quando esegue un test d'intelligenza per la seconda o per la terza volta, anche se il reattivo è ogni volta completamente diverso. Questo aumento del Q.I. può oscillare tra i cinque e i sette od otto punti e, molto probabilmente, è dovuto all'apprendimento della capziosità del test, alla conoscenza della tecnica, all'abbassamento dell'ansia che è un fenomeno naturale quando la gente è posta di fronte ad una novità, e infine alla semplice pratica nel risolvere i problemi generalmente presentati in test di questo tipo. C'è qualche piccolo miglioramento dopo la somministrazione di tre test d'intelligenza. L'insegnamento può aggiungere qualche piccola cosa alla semplice esecuzione del test, ma ciò non è sicuro e può dipendere, in ogni caso, dal tipo d'insegnamento ricevuto: è del tutto possibile che un insegnamento impartito da persone inesperte possa ridurre, anziché aumentare, il punteggio del Q.I. che ci si aspetterebbe dalla semplice esecuzione di una serie di test. Bisogna dunque accettare la critica che la pratica e l'insegnamento influiscono sul Q.I. ma, per fortuna, le difficoltà che ne derivano si possono superare facilmente sottoponendo a test bambini, studenti e candidati non una ma più volte. Specialmente l'esame dell'11 + non dovrebbe mai esser imposto a bambini che non siano stati sufficientemente acclimatati al turbamento delle prove d'intelligenza; qualora questa precauzione venga osservata, è probabile che non sorgano molte difficoltà.

La seconda obiezione riguarda gli effetti della motivazione e dell'ansia. Un bambino scarsamente motivato o uno terribilmente preoccupato per il risultato, può riuscire a esprimersi? C'è una vasta letteratura sugli effetti della motivazione e dell'ansia sui bambini e sembra che un basso grado di motivazione non sia particolarmente nocivo durante l'esecuzione del test d'intelligenza, salvo che non sia tanto basso da far sì che il candidato smetta del tutto. Il fatto è raro e quasi certamente patologico e, ad ogni modo, di un simile test non si dovrebbe, naturalmente, tener conto. Gli alti livelli di ansia possono avere un effetto deleterio sui bambini e questo potrebbe essere un serio argomento contro l'uso dei test se non si fosse scoperto che quest'ansia può essere abbassata in vari modi. Conta molto la maniera in cui viene presentato il test e se chi lo presenta è una persona conosciuta dal bambino o un estraneo. Più di tutto è importante la replica. L'ansia è più alta quando un reattivo viene presentato per la prima volta ma si stabilisce tosto un adattamento e vi sono ben pochi individui che dopo tre repliche mostrino ancora livelli d'ansia tanto alti da interferire sulla esecuzione.

Ancora una volta, dunque, è chiaro che la chiave di una valutazione riuscita sta nella replica dei test e nell'abituare il bambino ad eseguirli. Tale raccomandazione ha infatti molti altri argomenti a suo favore. Molte cause diverse possono alterare una singola esecuzione di test. Il bambino può avere mal di testa o esser giù di tono per qualche altra ragione. Può essere seccato o turbato per qualcosa capitata a lui o alla sua famiglia. Può aver mal di pancia o esserglisi rotta la matita, può essere andato a letto tardi. Vi sono mille cose, nessuna delle quali da sola, avrebbe un effetto molto sensibile sul punteggio, ma che, se si accumulano, potrebbero determinare un divario notevole dal Q.I. effettivo del bambino. Tuttavia, se questi è stato sottoposto ripetutamente a reattivi, è improbabile che codeste cause sopraggiungano ogni qual volta gliene venga dato uno, e si potrebbe non tener conto delle prove discordanti. La media di diversi test è ovviamente più attendibile del punteggio ottenuto con uno solo; specialmente quando le decisioni sono estremamente importanti, come nel caso dell'11 +, non bisognerebbe affidarsi al punteggio di un'unica prova.

Questo vale anche per l'altra obiezione frequentemente sollevata, e cioè che in base al Q.I. attuale del bambino non si può predire in modo attendibile quale sarà il suo Q.I. tra qualche anno. Abbiamo già trattato questo argomento alquanto dettagliatamente e abbiamo visto che mentre non riguarda molto l'esame d'intelligenza degli adulti, ciò presenta delle difficoltà nel caso dei bambini. Purtroppo non vi sono prove molto fondate o conclusive, ma sembra che la ripetizione dei test di Q.I., anno per anno, sia prima che dopo il fatidico esame dell'11 +, dia un'importante informazione supplementare ai fini di una decisione di classificazione o di riclassificazione, come pure sia utile nell'alleviare l'ansia secondo quanto abbiamo detto prima.

Finora la discussione sarà servita a chiarire che dal punto di vista dell'esaminatore non è desiderabile avere da trattare gruppi misti, gruppi, cioè, tra i quali alcuni abbiano avuto una precedente esperienza di test d'intelligenza, mentre altri no. Idealmente, dunque, sarebbe preferibile una popolazione dove neppure uno abbia avuto esperienze di test, oppure dove ognuno abbia già fatto due o tre reattivi, di un genere o di un altro. La prima delle condizioni non è evidentemente attuabile. Tutti i bambini, all'età di circa dodici anni hanno avuto esperienza di test e anche parecchi adulti sono stati sottoposti prima o poi a delle prove, durante il servizio militare o in occasione di qualche selezione professionale. In tali circostanze, dunque, l'ideale sarebbe che ognuno avesse avuto qualche esperienza dei vari tipi di problemi che ricorrono nei reattivi d'intelligenza, e da questo punto di vista ritengo che programmi come "Pencil and Paper" o "Pit Your Wits" trasmessi per televisione, dovrebbero essere i benvenuti, poiché in tal modo gruppi di 14.000.000 di persone hanno preso conoscenza senza turbamento dei problemi di questi reattivi e dei metodi per risolverli. Parimenti immagino che la pubblicazione di un libro come questo sia apprezzata dagli psicologi che s'interessano seriamente a questo problema, poiché aumenterà certamente il numero di persone informate sulle moderne prove d'intelligenza. In un futuro non troppo lontano, dunque, l'ideale

41

si realizzerà quando ogni membro della popolazione avrà raggiunto un livello di conoscenza dei test tale da rendere inutile ogni ulteriore insegnamento teorico od esercizio pratico.

Dobbiamo ora prendere in considerazione un'altra obiezione al Q.I. che va più a segno di quelle finora esaminate. Essa parte più spesso dagli psicologi che non dai profani e certamente ha un fondamento serio. Il ragionamento è pressappoco questo: la valutazione di un Q.I. presuppone che ci stiamo occupando di una generica capacità mentale chiamata intelligenza la quale determina, in grado maggiore o minore, il nostro successo in una grande varietà di occupazioni intellettuali. Questo presupposto è giustificato solo entro un certo limite e può darsi che la nostra abilità nelle varie occupazioni sia determinata non solo da una capacità generica, ma anche da una serie di capacità alquanto più differenziate. Se così fosse allora si potrebbe considerare il Q.I. semplicemente come una media tracciata attraverso i livelli diversi di tali capacità più differenziate e in tal modo esso parteciperebbe di tutti i vantaggi e gli svantaggi che, come è noto, sono propri di ogni media.

Vi sono varie direzioni in cui possiamo ricercare queste capacità più circoscritte. Le principali sono a) nel contenuto differenziale dei test e b) nelle funzioni psicologiche differenziali interessate. Lo stesso identico tipo di problema può essere presentato in un test d'intelligenza in modo verbale, numerico o percettivo spaziale, e la riuscita di una persona può dipendere dal modo in cui il problema viene presentato.

Si considerino i tre problemi riportati qui sotto:

1) Il nero sta al bianco come l'alto sta al: (1) basso, (2) verde, (3) su, (4) lontano.

2) 14 sta a 7 come 30 sta a: (1) 15, (2) 13, (3) 20, (4) 11.

3) ↑ sta a ↓ come → sta a: (1) ← , (2) ↑ , (3) ↓ , (4) → .

È stato dimostrato infatti che questa supposizione è esatta; il materiale sia verbale che spaziale o numerico, determina in misura considerevole le reazioni di una persona e siamo quindi giustificati se ne misuriamo separatamente l'intelligenza verbale, l'intelligenza numerica, la capacità percettivo-spaziale e così via.

Analogamente, per quanto riguarda la funzione mentale, vi sono differenze che si contrappongono a quelle del materiale. Possiamo chiedere ai nostri soggetti di scoprire relazioni e di dedurre correlazioni, come nell'esempio su riportato, oppure di confrontare una varietà di parole o di disegni o di numeri diversi, e di segnarne le somiglianze e le differenze. Possiamo chiedere loro d'imparare a memoria e quindi di riprodurre a memoria *i temi* verbali, numerici o percettivo-spaziali. Questi sono solo alcuni dei numerosi modi in cui possiamo suddividere sia i materiali che le funzioni, e si può vedere che prendendone solo tre di ciascuno abbiamo già nove differenti tipi di test, ognuno diverso dall'altro almeno su di un punto fondamentale. Invece di attribuire a una persona un Q.I. generico, sarebbe meglio sottoporla a test distinti per ciascuna di queste combinazioni e valutare

43

il suo tipo di capacità rispetto alla sua posizione in ognuna di tali categorie. Ma questo, naturalmente, è impossibile; vi sono qualcosa come 140 diffcrenti categorie del genere che dovrebbero essere esaminate, così che, alla media di un'ora per test e di 40 ore alla settimana per soggetto, per una informazione abbastanza esauriente della capacità mentale di una persona ci vorrebbe qualcosa come un intero mese di esami a pieno ritmo! Da un punto di vista pratico, ciò non è, naturalmente, possibile, sebbene periodi di tempo di questa lunghezza non siano del tutto rari in fisica, quando, cioè, si stia provando l'efficienza di un nuovo strumento o la forza di resistenza di un metallo: infatti in questo settore gli esperimenti possono andare avanti per anni in condizioni stazionarie.

Il Q.I. può esser considerato come una media che dia una idea approssimativa del livello generale di abilità su di un campione di tutti questi diversi tipi di test; vi saranno differenze fra un test e l'altro a seconda dell'effettivo tipo di funzioni e di materiale scelto. Così alcuni test di Q.I. fanno completo assegnamento su materiale verbale, altri soltanto su materiale non verbale e molti si basano solo su materiale numerico. Allo stesso modo le funzioni esaminate e il tipo di reattivo adottato, differiscono da un test all'altro e ne consegue che differenti test di Q.I. non presenteranno una concordanza molto stretta nella valutazione del Q.I. di un individuo. La concordanza tra differenti test ben sperimentati è di solito abbastanza stretta, ma nondimeno è lungi dall'essere assoluta e le differenze di dieci punti da una prova a' un'altra non sono affatto rare. Da quanto si è detto ne consegue che le migliori valutazioni del Q.I. di un individuo sono date, probabilmente, da test che impiegano differenti tipi di problemi e anche differente materiale per esaminare le capacità del soggetto. È per quésta ragione che i problemi delle otto serie di test riportati in questo libro sono stati riuniti proprio secondo questo criterio.

Per fini più pratici, come per l'orientamento professionale o per la selezione industriale, bisogna riconoscere che il Q.I. è probabilmente molto meno utile della valutazione più precisa di una particolare attitudine. Se dobbiamo dare un consiglio a Giovannino e Giacomino - che divenuti grandi vogliono entrare all'università - sulle materie in cui sarebbero più portati, non ci servirà molto sapere che Giovanni ha un Q.I. di 135 e Giacomo di 128; ci aiuterà invece notevolmente sapere che in un test di *capacità verbale* Giovannino ha un Q.I. di 150 e Giacomino ne ha uno di 115 e che, viceversa, nei test di *capacità numerica* e *percettivo-spaziale*, le posizioni sono capovolte. È chiaro, dunque, che sulla base di tali informazioni si possano ricavare delle decisioni riguardo allo studio delle lingue moderne o della fisica, più facilmente che sulla base di un Q.I. generico. Ciò si sta realizzando oggi molto di più di quanto avvenisse fino a dieci anni fa, ma tuttavia sarebbe giusto dire che i test di capacità particolari non sono impiegati così estesamente come potrebbero. Il mancato impiego di questi metodi di esame più progrediti ed efficienti è in gran parte dovuto al conservatorismo degli insegnanti e di altri che si sono fermati al tradizionale test di Q.I., e la ragione sta in parte nel fatto che il perfezionamento di tali strumenti di misura è costoso e richiede molti anni di serie ricerche. La società non si è mostrata particolarmente interessata a effettuare quel perfezionamento dei comuni test di Q.I. consentito dalle moderne scoperte, e l'insufficiente appoggio alle indispensabili ricerche ha fatto sì che, in genere, non siano disponibili che pochi reattivi ben tarati e adatti allo scopo.

Ci si è spesso chiesti se l'intelligenza è innata o acquisita e si fa spesso riferimento a questo problema come alla controversia natura-educazione. Prima di terminare la nostra esposizione sui test di Q.I., potremmo aggiungere forse qualche parola su questo spinoso problema. Tanto per cominciare, dunque, è chiaro che i bambini, per quanto riguarda il Q.I., tendono a rassomigliare ai genitori; infatti, fino a sei anni circa, si ottiene una migliore predizione del futuro Q.I. di un bambino misurando quello dei genitori anziché il suo. Tuttavia ciò non è di molto aiuto, poiché questa somiglianza può essere dovuta evidentemente o all'ereditarietà o a fattori ambientali; il bambino potrebbe rassomigliare ai genitori perché ha ereditato i geni preposti al comportamento intelligente, oppure perché cresce in un ambiente che riflette pienamente l'intelligenza del padre e della madre. In realtà la nostra principale cognizione sull'ereditarietà dell'intelligenza deriva più che altro dal fatto che sebbene i bambini rassomiglino notevolmente ai genitori, vi sono sistematiche deviazioni che si possono spiegare solo rifacendoci alle cause ereditarie. Il fenomeno di cui parlo è solitamente chiamato *regressione*, e fu da prima osservato in relazione all'altezza che è nota come un'importante caratteristica ereditaria, almeno nei paesi con sufficiente scorta di cibo. Si è constatato che i figli di genitori molto alti sono più alti della media, ma non tanto quanto i genitori; similmente i figli di genitori bassi sono più bassi della media, ma più alti dei genitori. In entrambi i casi i figli sembrano regredire alla media ed è abbastanza semplice riportare questo fenomeno alla teoria mendeliana della ereditarietà. Lo stesso identico fenomeno è stato osservato in relazione all'intelligenza, e se il lettore riandrà a pagina 18, dove viene riportato il Q.I. di gruppi di genitori di vari strati sociali e di bambini i cui genitori provengono dallo stesso strato sociale, vedrà il grado di regressione implicito, che è quasi identico a quello provato negli studi sull'altezza. La nostra prova principale della importanza dell'ereditarietà non si rifà dunque alle somiglianze osservate tra genitori e bambini, ma alla scoperta di sistematiche differenze tra di loro, che trovano una facile spiegazione se riferite all'ereditarietà, ma che è molto difficile riportare all'ambiente.

La seconda prova presentata spesso, riguarda l'esame dei gemelli identici e di quelli fraterni. I gemelli identici dividono completamente la loro ereditarietà, mentre quelli fraterni non si rassomigliano più di due comuni fratelli, cioè dividono la ereditarietà solo nella misura del 50 per cento. Se l'ambiente avesse un effetto decisivo, allora, evidentemente, i gemelli identici non si rassomiglierebbero più di quelli fraterni, mentre se l'ereditarietà ha maggior forza, i gemelli identici devono rassomigliarsi molto di più di quelli fraterni. I gemelli allevati insieme sono stati argomento di molti studi e si è constatato generalmente che quelli identici si. rassomigliano molto di più. Indagini su scala piuttosto ridotta negli Stati Uniti e un'indagine recente molto più estesa in Gran Bretagna hanno dimostrato che se si prendono dei gemelli separati nel primo periodo di vita e allevati in condizioni differenti, si osserva che ciò non ostante permane in quelli identici una ben precisa tendenza a rassomigliarsi di più di quelli fraterni. Anche questo metodo d'indagine sostiene decisamente il punto di vista dell'ereditarietà piuttosto che quello dell'influenza ambientale.

Si possono forse considerare come una terza prova gli studi sulla procreazione effettuati su animali. È stato elaborato un test di capacità adatto a un genere di animali, ed è stato sottoposto a test un gruppo di animali. Gli animali con punteggio più alto sono stati incrociati al fine di produrre una razza più intelligente, e quelli con punteggio più basso sono stati incrociati al fine di produrre una razza più stupida. Gli animali di ciascuna generazione successiva sono stati sottoposti a test e sia i più intelligenti che i più stupidi sono stati rispettivamente scelti e incrociati di nuovo. Dopo circa una dozzina di generazioni si è scoperto che, per quanto concerne l'abilità, non c'è praticamente alcun embricamento tra le razze più intelligenti e quelle più stupide, poiché tutta la progenie più intelligente riesce meglio nei test di quella più stupida. Il peso che diamo a tale prova è subordinato, naturalmente, alla opinione che l'intelligenza, come caratteristica biologica, non è necessariamente limitata agli esseri umani, ma può anche essere valutata, quantunque a un livello più basso, in altri mammiferi. Questa prova assume, forse, particolare importanza se annessa alle altre già portate.

La quarta prova è in un certo senso opposta a quella in cui furono impiegati gemelli identici. Negli esperimenti sui gemelli noi manteniamo l'ereditarietà identica e cambiamo l'ambiente; è chiaro che possiamo invece mantenere costante l'ambiente e cambiare l'ereditarietà. Questo esperimento è stato effettuato esaminando i bambini dell'orfanatrofio mandati là subito dopo la nascita. L'intera vita di questi fanciulli trascorre in un ambiente che è praticamente uguale per tutti. Se l'ambiente determina l'intelligenza, allora tutti i bambini dovrebbero avere Q.I. molto simili. Solo l'ereditarietà può produrre differenze di Q.I. tra di loro. Quando venne effettuato questo esperimento, si trovò che l'intelligenza dei bambini dell'orfanotrofio presentava, praticamente, lo stesso grado di variabilità dell'intelligenza dei bambini normali soggetti a grandi differenze nelle condizioni ambientali; ancora una volta, dunque, la ereditarietà appare come il primo fattore nel determinare delle differenze individuali nell'intelligenza.

Sono stati sperimentati molti altri tipi di test e di piani sperimentali, ma quelli su menzionati sono i più decisivi e non sono stati contraddetti da nessun'altra prova. Essi indicano con sufficiente chiarezza l'importanza dell'ereditarietà, ed è possibile fare un calcolo approssimativo del contributo dell'ereditarietà e dell'ambiente nei paesi occidentali al giorno d'oggi. Sembra che circa l'80 per cento dei fattori che complessivamente contribuiscono alle differenze individuali dell'intelligenza siano ereditari e il 20 per cento ambientali; in altri termini, l'ereditarietà è quattro volte più importante dell'ambiente.

Si tenga presente che queste cifre equivalgono solo a una media approssimativa e si riferiscono unicamente al mondo occidentale d'oggi. Non hanno valore assoluto, dal momento che dipendono totalmente dai sistemi sociali e educativi di un dato paese. Dove c'è un'istruzione generale gratuita per tutti i bambini, ed eventualmente anche una generale e gratuita istruzione universitaria, allora, ovviamente, i fattori ereditari si manifestano più liberamente. In paesi dove l'educazione è solo per pochi privilegiati, l'intelligenza potenziale degli altri può venire repressa in misura notevole. Non possiamo, dunque, estrapolare le cifre dell'"80 per cento - 20 per cento" per riferirle al nostro paese così come era cent'anni fa o all'Iran come si presenta oggi, tanto per fare due esempi, né possiamo riferirle al futuro; è del tutto possibile che nel giro di cinquant'anni il contributo dell'ereditarietà ai risultati dei test d'intelligenza sarà addirittura più alto di quanto lo sia ora, a patto che permanga la tendenza verso una maggiore uguaglianza nell'istruzione.

È necessaria un'ultima riserva a quanto ho detto finora. Ho accennato che le cifre sono solo delle medie; ciò significa che non sarebbe esatto dire che per ogni data persona l'ambiente contribuisce nella misura del 20 per cento e l'ereditarietà in quella dell'80 per cento delle sue doti intellettuali. Vi sono alcuni bambini e anche alcuni adulti quasi del tutto privi, durante la loro vita, di istruzione e di altre facilitazioni, per i quali l'ambiente avrebbe un'importanza molto più decisiva, forse nella misura del 70 o dell'80 per cento. Possono esserci anche altri bambini, per i quali la bilancia pende dall'altro lato. Per poter dire qualcosa in questo caso particolare, occorrerebbe uno studio più approfondito e più dettagliato che la semplice applicazione di una media generica.

Terminiamo così questa breve esposizione sull'intelligenza, sulla sua natura e sulla sua valutazione. Questo è un campo altamente tecnico ed è quasi impossibile presentarlo in forma accessibile e in brevissimo spazio senza apparire di quando in quando dogmatici. La maggior parte degli argomenti è, tuttavia, abbastanza chiara e non credo che siano molti gli psicologi professionisti che troverebbero gravi errori in ciò che abbiamo detto finora. Può anche darsi che entro vent'anni sapremo sull'effettiva natura dell'intelligenza qualcosa in più di quanto ne sappiamo oggi. Fino ad allora accontentiamoci di poter raggiungere un certo grado di precisione nella sua valutazione, nonché dei dati che possono esser raccolti per mezzo dei test d'intelligenza.

COME SI MISURA IL PROPRIO Q.I

Occupiamoci ora dei reattivi stampati in questo libro e dei modi in cui si possono eventualmente impiegare. Vi sono otto test, composti ciascuno di quaranta problemi; ogni test è in se stesso un'entità assoluta e lo si può impiegare e se ne può stabilire il punteggio senza riferimento agli altri sette. Ogni test consiste di una svariata serie di differenti tipi di problemi che vanno dal più facile, all'inizio, al più difficile alla fine; ciò non significa che i livelli di difficoltà nel mezzo siano graduati molto accuratamente. Bisognerebbe che qualcuno, preferibilmente non chi lo sta eseguendo, controlli la durata di ogni test, per ciascuno dei quali il tempo limite è fissato a *trenta minuti*. In tal modo, trenta minuti dopo aver iniziato il primo problema, il test deve essere completato e non si deve lavorarci oltre. Il punteggio è dato, naturalmente, dal numero di problemi risolti correttamente entro questo tempo. Le risposte sono riportate alla fine del libro, insieme con le spiegazioni del perché una data risposta è quella corretta. Il conteggio in punti del test dovrebbe essere consultato dopo, nelle tavole a pag. 223-224, dove si può leggere il corrispondente Q.I. Gli altri sette test devono essere trattati esattamente alla stessa maniera, in modo che il lettore termini con otto separate valutazioni del suo Q.I., di cui si può fare una media al fine di ottenere una valutazione più precisa di quella data dal punteggio di ogni singolo test. (Si consiglia al lettore di non eseguire più di un test al giorno, ma di svolgere le prove nel corso di diversi giorni.) I test di questo libro possono essere impiegati per esaminare alternativamente otto persone diverse, o per somministrare due test a ciascuna di quattro persone e così via.

Perché il test sia sufficientemente valido bisognerebbe osservare determinate precauzioni. Il lettore è naturalmente libero di fare quel che gli pare del libro, ma se ognuna di tali precauzioni viene trascurata, allora non si può pretendere che il risultato della prova indichi, nemmeno per approssimazione, la valutazione di un Q.I. In primo luogo, dunque, bisogna calcolare esattamente il tempo: persino "pochi secondi" aggiunti alla fine possono fare una bella differenza. È meglio avere a tal scopo un cronometro a portata di mano, ma può bastare anche un orologio con la freccia dei secondi purché sia disponibile una persona di fiducia per controllare il tempo.

In secondo luogo nessun aiuto di alcun genere deve essere dato da altri alla persona che esegue il test; anzi è preferibile che nessun altro stia a guardare durante l'esecuzione della prova. La somministrazione di un test d'intelligenza può sembrare un procedimento completamente meccanico, specialmente quando si tratta di reattivi di gruppo, ma anche così la maggior parte degli psicologi ha occasionalmente fatto esperienza di alcune deviazioni alquanto traumatizzanti dai metodi stabiliti. Così i maestri, che somministrano spesso codesti reattivi, si lasciano andare, di quando in quando, all'inveterata abitudine di correggere gli errori, e di dire, puntando il dito accusatore alla risposta di Giovannino: « È sbagliato! », oltre a suggerire o a interferire in altri modi. Le persone che costituiscono motivo di distrazione bisogna farle uscire dalla stanza ove si esegue il test.

Il lettore deve accostarsi alle prove senza alcuna esperienza e non deve sfogliare indistintamente il materiale effettivo dei reattivi prima di cominciare a lavorare sui problemi. L'inosservanza di tali istruzioni gli dà, rispetto alle altre persone sulle quali il test è stato tarato, un vantaggio che, naturalmente, modificherà la durata del tempo speso a guardare i problemi, ma che, in ogni caso, diminuirà considerevolmente il significato del risultato del test.

Il lettore non deve calcolare i punti di ogni test né deve guardare le spiegazioni riportate nella soluzione fino a quando non abbia terminato *tutte* le prove che sta eseguendo. Verificare le soluzioni e leggere le spiegazioni date equivale ad apprendere una lezione quindi ad aumentare il punteggio dei test successivi più di quanto si sarebbe altrimenti verificato. Qualora il lettore desideri eseguire tutti gli otto test non deve calcolare il punteggio del primo finché non abbia terminato l'ottavo. Questa raccomandazione è piuttosto difficile da seguire, poiché molti sono estremamente curiosi di conoscere i risultati dei loro sforzi; se non riesce a tenere a freno la curiosità, il lettore può far venire qualche altro che abbia già eseguito le prove o che in ogni caso non le stia eseguendo, affinché faccia il conto dei punti in sua vece e traduca il risultato in Q.I. Un'informazione a questo livello è tollerata poiché ciò non aiuterà ad ottenere punteggi maggiori in seguito.

Una volta determinato il suo Q.I. sulla base di uno o più test del libro, il lettore dovrebbe accorgersi che in ogni singola figura è implicita una certa dose di falsa precisione che tende a dare una misura della sua intelligenza. Dire che un test rivela che il Q.I. di una persona è di 128 è eccessivamente ottimistico. Il risultato dice più o meno: « Questo individuo è abbastanza intelligente, con un livello medio di abilità che va, probabilmente, da 120 a 135. Può darsi, inoltre, che sia eccezionalmente bravo o inetto in certi campi più ristretti, quali l'intelligenza verbale o numerica, oppure per quanto riguarda l'originalità o la memoria; questo non si può affermare dai risultati del test ». Se un simile Q.I. compare in ciascuno degli otto test di questo libro, allora la media si avvicina abbastanza al vero Q.I.

Se c'è molta variabilità allora non si deve considerare la media estremamente attendibile. Si tenga presente, comunque, che questa variabilità non è necessariamente un'imperfezione del test. È stato ampiamente dimostrato che alcuni individui hanno una prevalente tendenza a una maggiore variabilità di abilità in ogni genere di reattivi, e questa è una caratteristica della personalità che può risultare anche in test di questo tipo.

Come si può utilizzare un Q.I. così determinato? Direi che sarebbe meglio se il lettore ne tenesse conto unicamente come un aiuto a "conoscere se stesso" secondo lo spirito della massima citata all'inizio del libro. *Non deve decidere niente d'importante in base al risultato*, come di essere qualificato o no per andare all'università, o di prendere un particolare tipo di impiego o di lavoro. Se ha bisogno di un consiglio su qualcuno di questi punti, vada allora presso un'organizzazione realmente competente, se vive in un paese dove organizzazioni del genere esistono, là gli daranno un consiglio specializzato. Come ho sottolineato prima, non c'è ragione per cui non si debba misurare la propria temperatura, ma vi sono tutte le ragioni di questo mondo per non diagnosticare le proprie malattie in base alla lettura del termometro senza aver seguito un corso di medicina. Non credo che presenti dei pericoli determinare in modo approssimativo il proprio Q.I., ma c'è motivo di credere che l'interpretazione o l'applicazione a scopi pratici dei risultati debba essere lasciata a chi ha qualifiche appropriate. Ciò è tanto più vero quando ci si accorge che nel valutare il proprio Q.I. si possono commettere più errori che nel misurare la propria temperatura, e mentre ho messo in guardia contro errori evidenti è impossibile prevenire o escludere tutte le cose che una persona potrebbe fare e che invaliderebbero la valutazione del Q.I.

In breve, i test di questo libro dovrebbero essere impiegati solo per divertimento e non dovrebbero esser presi troppo sul serio. Se si deve prendere una decisione basandola sull'effettiva conoscenza dell'intelligenza di una persona, allora i test contenuti in questo libro sono assolutamente insufficienti e devono essere completati da prove scelte e applicate da uno psicologo realmente qualificato.

ISTRUZIONI

Ogni test contiene quaranta *temi*. Avete a disposizione un tempo limitato (vedi a pagina 52) per elaborare la risposta, perciò dovrete lavorare il più rapidamente possibile. Non attardatevi troppo su ogni *tema*; può darsi che vi troviate su di una strada completamente sbagliata e potreste far meglio nella prova successiva. D'altra parte non rinunziate con troppa leggerezza; molti problemi possono essere risolti con un po' di pazienza. Con un po' di buon senso potrete giudicare quando bisogna lasciare insoluto un *tema*. Ricordatevi che nell'insieme i *temi* tendono a diventare più difficili nel proseguimento del test. Ognuno dovrebbe esser capace di risolvere correttamente *alcuni temi*, ma nessuno potrebbe risolverli correttamente *tutti* nel tempo concesso.

In ogni caso la vostra risposta consisterà di *un solo numero*, di *una sola lettera* o di *una sola parola*. Potreste dover scegliere tra diverse alternative datevi, o dover escogitare la risposta giusta. Indicate con chiarezza la risposta nello spazio apposito. Se non potete ponderare la risposta non preoccupatevene; ma se avete un'idea, e non siete completamente sicuri che sia la giusta, scrivetela. Non vi sono domande a trabocchetto, ma bisogna sempre prendere in considerazione i diversi modi di accostarsi a un problema. Prima di iniziare siate sicuri di capire ciò che vi si chiede; perdete tempo se vi buttate a capofitto senza preoccuparvi di scoprire in che cosa esattamente consista il problema.

Da tener presente: i puntini indicano il numero delle lettere di una parola mancante; perciò (....) indica che la parola omessa che vi si chiede di trovare è di quattro lettere.

TEST 1

1. Aggiungi il numero che manca.

2 5 8 11

2. Sottolinea la parola da scartare.

casa igloo villetta ufficio capanna

3. Trova i numeri che mancano.

7 10 9 12 11 - -

4. Sottolinea l'animale da scartare.

aringa balena pescecane barracuda merluzzo

5. Sottolinea quale di queste non è una marca di automobili.

ROFD

SAMETRIA

RAFRERI

METOC

TAIF

6. Inserisci la parola che manca tra le parentesi.

candela (moccolo) bestemmia
testa (. . . .) condottiero

7. Inserisci la parola che completi la prima parola e che formi l'inizio della seconda. (La chiave è: tirato.)

IN (. . . .) RO

8. Quale delle sei figure numerate completa la serie?
(Inserisci il numero nel quadrato.)

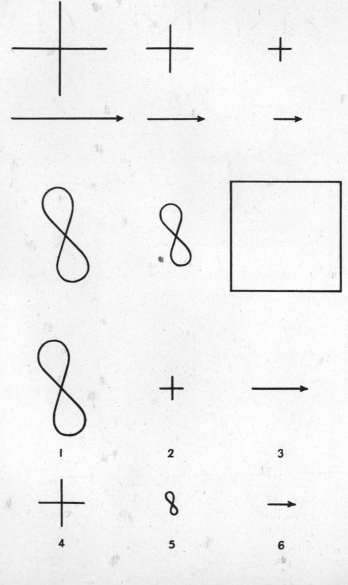

9. Quale delle sei figure numerate completa la serie?
(Inserisci il numero nel quadrato.)

 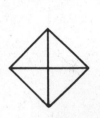 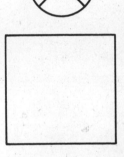

 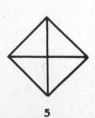

1   2   3

4   5   6

10. Inserisci il numero che manca.

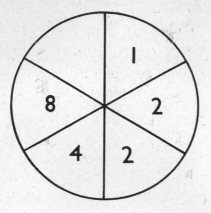

11. Sottolinea la figura da scartare.

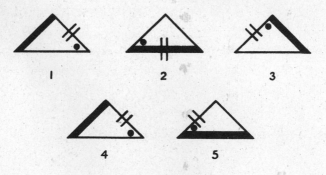

12. Inserisci i numeri che mancano.

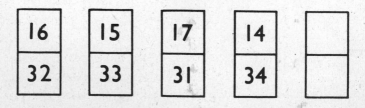

13. Aggiungi la lettera che manca.

E H N Q -

14. Inserisci la parola che possa essere preceduta da ciascuna delle lettere sulla sinistra.

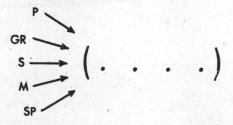

15. Trova le parole tra parentesi.

A + (negre) = (sentimento di viva affezione)

16. Aggiungi il numero mancante.

2 5 7
4 7 5
3 6 -

17. Sottolinea nel secondo rigo la parola che ha qualcosa in comune con le tre del primo rigo.

BAGAGLI   BANDIERA   CENERE
marea   acqua   fogli   uccello   timore   scimmia

18. Quale delle sei figure numerate nella pagina seguente completa la serie? (Scrivi il numero nel quadrato.)

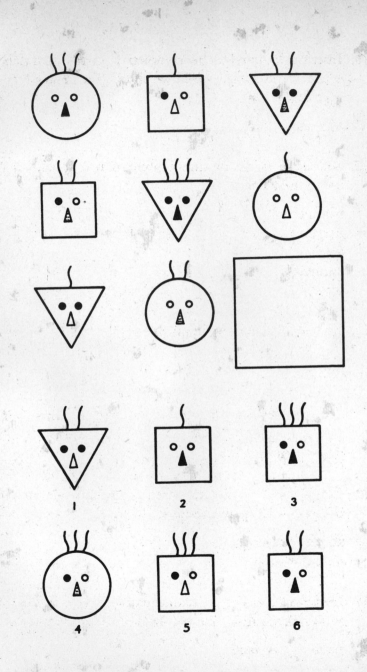

1 2 3

4 5 6

19. Inserisci la parola che completi la prima parola e che formi l'inizio della seconda. (La chiave è: in mezzo.)

A(. . .)M

20. Sottolinea quale di questi nomi non è quello di un famoso poeta.

PELADRIO
CLOSOFO
TENDA
RANIBAS
DURCACCI

21. Inserisci il numero che manca.

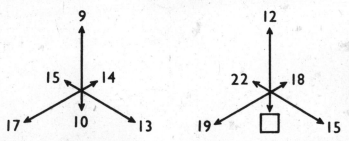

22. Completa la parola tra parentesi del secondo rigo utilizzando le lettere esterne.

RO(PITTORE)TI
NU(F . . T . . A)RO

23. Inserisci tra le parentesi una parola avente lo stesso significato delle due parole fuori delle parentesi.

petto (. . . .) baia

24. Sottolinea la figura da scartare.

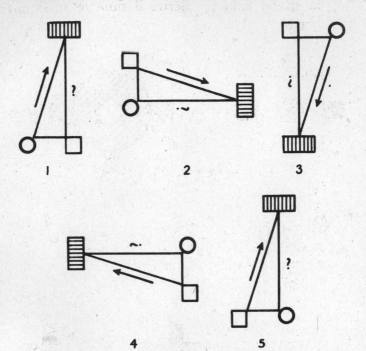

25. Sottolinea quale di questi non è un famoso compositore.

ZOTRAM
SATSURS
REVID
MALESO

26. Aggiungi la lettera che manca.

I N F
P T L
G N ?

27. Quale delle cinque figure numerate metteresti nello spazio bianco? (Scrivi il numero nello spazio bianco.)

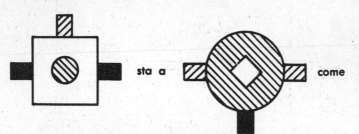

sta a

come

sta a:

1

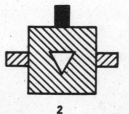

2

3

4

5

28. Quale delle cinque figure numerate metteresti nello spazio bianco? (Scrivi il numero nello spazio bianco.)

sta a ... come ... sta a:

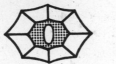

1

2

3

4

5

29. Inserisci la parola che manca tra le parentesi.

Indivia (Vita) Gatto
Insolente (. . . .) Crocevia

30. Inserisci la parola che completi la prima parola e che formi l'inizio della seconda. (Chiave: rimane.)

A(. . .)IO

31. Quale delle cinque figure numerate completa la serie? (Scrivi il numero nel quadrato.)

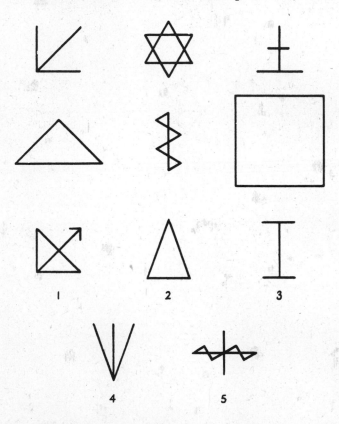

32. Quale delle sei figure numerate nella pagina seguente completa la serie? (Scrivi il numero nel quadrato.)

33. Aggiungi il numero che manca.

```
 7   9   5  11
 4  15  12   7
13   8  11   -
```

34. Sottolinea quale di queste città è da scartare.

Canberra Washington Roma Parigi
New York Bonn Ottawa

35. Inserisci il numero che manca.

36. Inserisci le lettere che mancano.

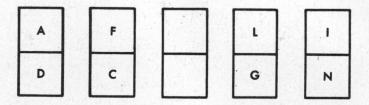

37. Inserisci tra le parentesi la parola che completi la prima parola e che formi l'inizio della seconda. (La chiave è: frode.)

DON(. . . .)RE

38. Inserisci il numero che manca.

8   10   14   18   -   34   50   66

39. Aggiungi l'ultima lettera della serie.

A D A E A G A I A O A -

40. Aggiungi il numero che manca.

2   7   24   77   -

TEST **2**

1. Aggiungi il numero che manca.

8   12   16   20   -

2. Quale dei sei gruppi numerati completa la serie?
(Scrivi il numero nel quadrato.)

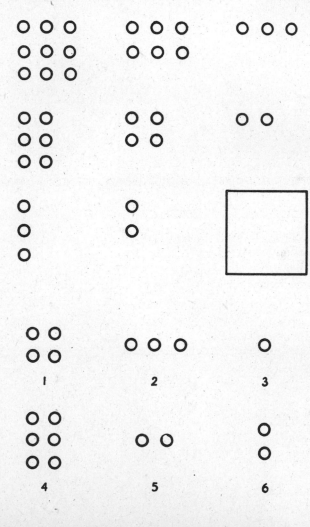

3. Sottolinea il nome dell'animale da scartare.

leone   foca   giraffa   aringa   cane

4. Aggiungi i due numeri che mancano.

6   9   18   21   42   45   -   -

5. Sottolinea il nome della divinità da scartare.

Giove   Apollo   Marte   Nettuno   Mercurio

6. Sottolinea quella delle seguenti città che non è in Europa.

EATEN

CAMOS

LIONAM

GATHWONNIS

LORNESA

7. Inserisci la parola che manca tra le parentesi.

Messa (posta) corrispondenza
sottile (. . . .) scopo

8. Inserisci la parola che completi la prima parola e che formi l'inizio della seconda. (La chiave è: oceano.)

A(. . . .)A

9. Quale delle sei figure numerate completa la serie?
(Scrivi il numero nel quadrato.)

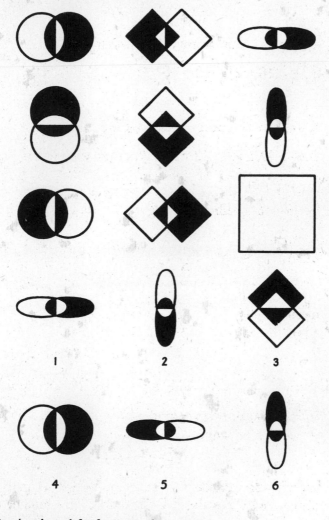

10. Aggiungi la lettera che manca.

A D H O -

11. Inserisci il numero che manca.

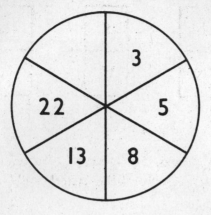

12. Sottolinea la figura da scartare.

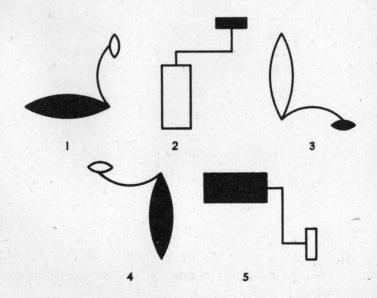

13. Inserisci il numero che manca.

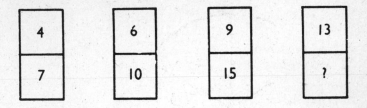

4	6	9	13
7	10	15	?

14. Inserisci tra le parentesi la parola che possa essere preceduta da ciascuna delle lettere sulla sinistra.

OP
P
C
V
N
S
SF

(. . .)

15. Inserisci tra le parentesi la parola che manca.

passa (. . . .) mettere

16. Quale delle sei figure numerate nella pagina seguente completa la serie? (Scrivi il numero nel quadrato.)

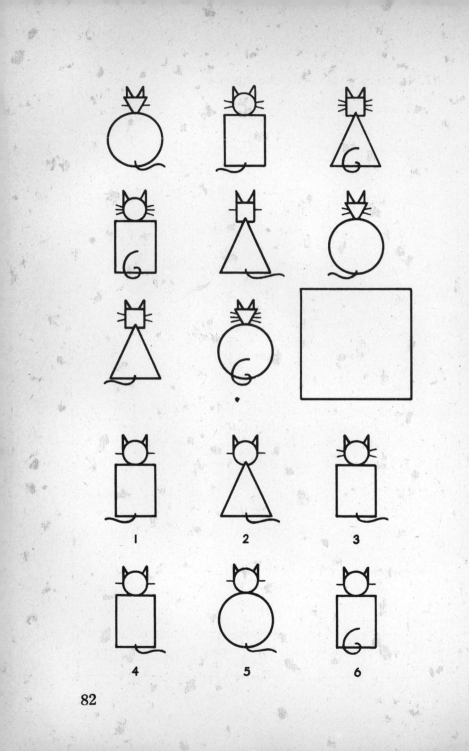

1   2   3

4   5   6

17. Inserisci il numero che manca.

7   16   9

5   21   16

9 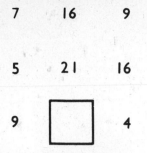 4

18. Sottolinea la parola da scartare.

est àlbino occhi fede virtù stella

19. Inserisci la parola che completi la prima parola e che formi l'inizio della seconda.

DE(. . . .)NA

20. Sottolinea quale di questi nomi non è quello di un'isola.

BAUC
BREITIGLAR
LIDNARA
PICRA

1. Inserisci il numero che manca.

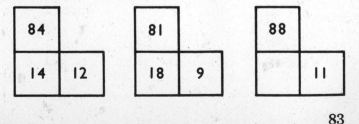

22. Sottolinea la figura da scartare.

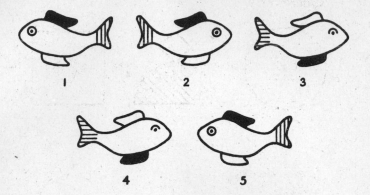

23. Scrivi la parola che manca tra le parentesi.

93 (baci) 12
54 (. . . .) 56

24. Scrivi la parola che abbia lo stesso significato delle due parole fuori delle parentesi.

netto (. . . . .) universo.

25. Completa quanto segue.

MINESTRA 87126453 SEMI 7398
SERA 84.75 TRA

26. Aggiungi la lettera che manca.

N Q L S H U -

84

27. Quale delle sei figure numerate completa la fila superiore?

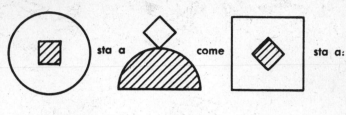 sta a come sta a:

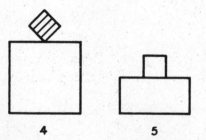

28. Inserisci la parola che manca tra le parentesi.

QN(ROSA)TB
EH(. . . .)DP

29. Inserisci la parola che completi la prima parola e che formi l'inizio della seconda.

O(. . .)NO

85

30. Quale delle sei figure numerate completa la serie?
(Scrivi il numero nel quadrato.)

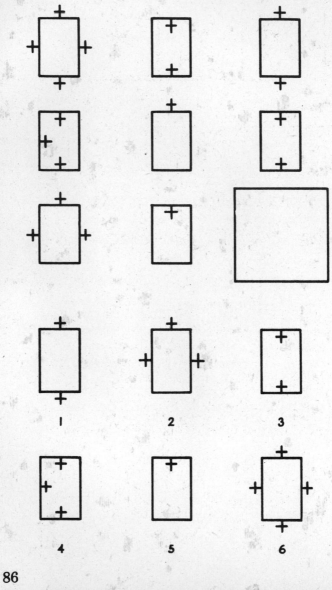

31. Quale delle cinque figure numerate completa la serie? (Scrivi il numero nel quadrato.)

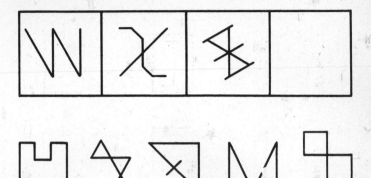

l	2	3	4	5

32. Inserisci il numero che manca.

8   17   5
12   -   16
10   11   9

33. Sottolinea la parola da scartare.

bagno   stoffa   profilo   battello

34. Inserisci il numero che manca.

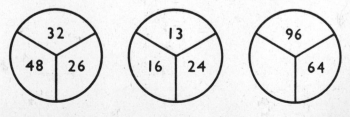

35. Scrivi negli ultimi quadratini il numero e la lettera che completano la serie.

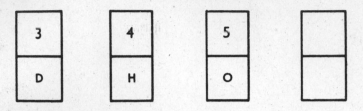

3	4	5	
D	H	O	

36. Sottolinea la parola che completa la frase.

Appetito sta a cibo come concupiscenza sta a:
nutrimento   sesso   violenza   ingordigia   bevanda

37. Inserisci tra le parentesi la parola che abbia lo stesso significato delle due parole fuori delle parentesi.

percorso (. . . . .) infranta

38. Sottolinea la parola che completi la frase.

Palinsesto sta a palindromo come raschiare sta a:
ripetere   invertire   ritirare   rivivere   ridurre
rivendere

39. Inserisci la lettera che manca.

B   E   -   S

40. Aggiungi il numero che completi la serie.

7   9   40   74   1526

TEST **3**

1. Aggiungi il numero che manca.

25   20   15   10   -

2. Sottolinea la parola da scartare.

cocchio   automobile   autobus   vagone   slitta

3. Aggiungi il numero che manca.

3   7   16   35   -

4. Sottolinea il nome dell'animale da scartare.

formica   ragno   ape   falena   moscerino

5. Sottolinea quale dei seguenti animali, i cui nomi sono anagrammati, è il più piccolo.

NOBISTE

CIOMI

ERCOPA

POTO

IRGAFFA

6. Scrivi una parola che abbia lo stesso significato delle due parole fuori delle parentesi.

piatto (.....) adagio

7. Quale delle sei figure numerate nella pagina seguente completa la serie? (Scrivi il numero nel quadrato.)

8. Inserisci tra le parentesi la parola che completi la prima parola e che formi l'inizio della seconda.

SC (. . .) RIO

9. Quale delle sei figure numerate completa la serie? (Scrivi il numero nel quadrato.)

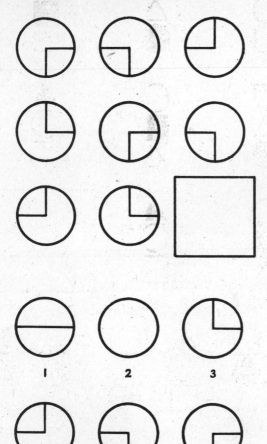

10. Aggiungi la lettera mancante.

M   N   O   L   R   G   V   -

11. Inserisci il numero che manca.

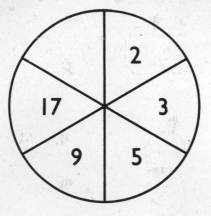

12. Sottolinea la figura da scartare.

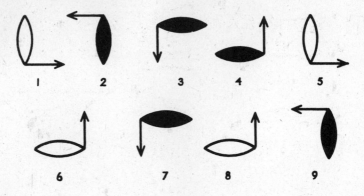

13. Inserisci i numeri che mancano.

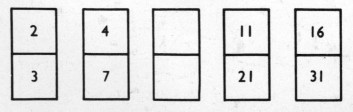

14. Quale delle sei figure numerate completa la serie?
(Scrivi il numero nel quadrato.)

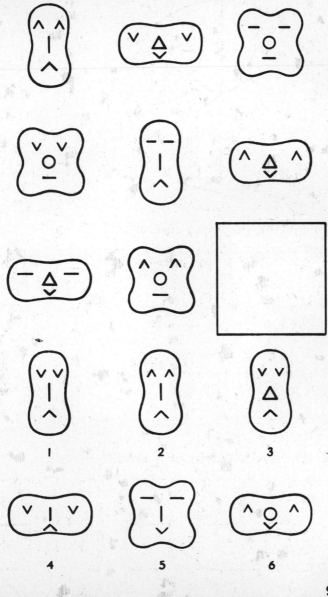

15. Scrivi tra le parentesi la parola che possa esser preceduta da ciascuna delle lettere sulla sinistra.

16. Scrivi la parola che manca tra le parentesi.

LUNGO (MARE) MOTO
CROCE (. . .) DOTTO

17. Aggiungi il numero che manca.

14   9   5

21   8   13

28   9   ☐

18. Sottolinea la parola da scartare.

opulento detergente stazione illazione abilità polizia

19. Inserisci tra le parentesi la parola che completi la prima parola e che formi l'inizio della seconda.

CO(. . . .)LLO

96

20. Sottolinea quale di questi nomi non è quello di un ragazzo.

TEBORRO

DEBENETTO

GILLEGUMO

REVENE

21. Inserisci il numero che manca.

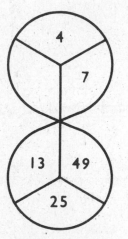

22. Inserisci tra le parentesi la parola che manca.

tirchio (riso) postino
pericolo (. . . .) momento

23. Scrivi una parola che abbia lo stesso significato delle due parole fuori delle parentesi.

frugale (. . . . .) bosco

24. Sottolinea la figura da scartare.

25. Aggiungi la lettera che completa la serie.

due D quattro A tre -

26. Inserisci la lettera che manca.

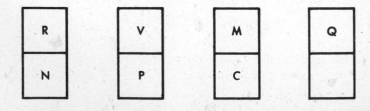

27. Quale delle quattro figure numerate completa la fila superiore?

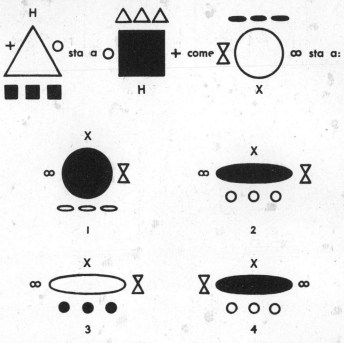

28. Inserisci la parola che manca tra le parentesi.

PACCO (CANE) CENA
CAMPO (. . . .) SONNO

29. Inserisci la parola che completi la prima parola e che formi l'inizio della seconda. (La chiave è: negre.)

TI (. . . .) SCO

30. Quale delle sei figure numerate nella pagina seguente completa la serie? (Scrivi il numero nel quadrato.)

99

1   2   3

4   5   6

31. Inserisci la lettera che manca.

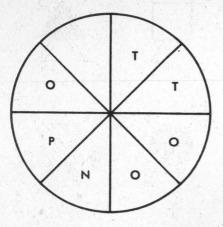

32. Aggiungi il numero che manca.

7   14   12
4   12   9
6   24   -

33. Sottolinea quale di queste parole è diversa dalle altre.

ferro   funi   tram   barca

34. Inserisci il numero che manca.

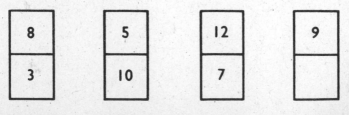

35. Inserisci le lettere che mancano.

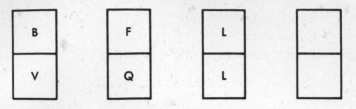

36. Quale delle sei figure numerate completa la serie? Sottolinea la risposta.

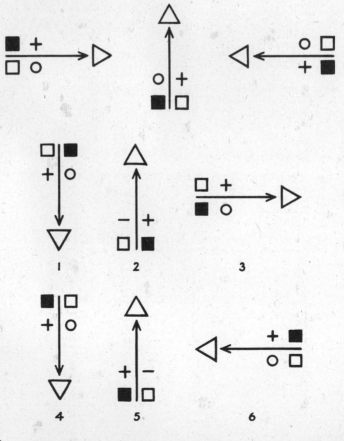

37. Sottolinea il nome che completa il quarto rigo.

Bauci ama Filemone
Lucia ama Renzo
Francesca ama Paolo

Giovanna ama: Riccardo, Silvano o Felice?

38. Avevo deciso d'incontrarmi con la mia ragazza ogni sabato pomeriggio. La prima volta ella arrivò alle 12,30; la seconda volta all'1,20; la terza alle 2,30 e infine la quarta alle 4,00. A che ora arrivò la quinta volta?

39. Sottolinea la parola da scartare.

AZEETRIULOS
IENURIMAECUTIE
NIVOERINUERSIE
REALOPPOOSILILOO

40. Inserisci i numeri che mancano

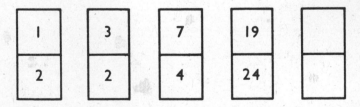

TEST **4**

1. Aggiungi il numero che manca.

36 30 24 18 -

2. Sottolinea il personaggio da scartare.

Foscolo Leopardi Parini Badoglio Dante

3. Quale delle sei figure numerate completa la serie?
(Scrivi il numero nel quadrato.)

4. Inserisci il numero che manca.

4 9 17 35 - 139

5. Sottolinea quale di queste città è da scartare.

Shangai Lhasa
Delhi Cairo
New Orleans Quebec

6. Sottolinea quale di queste non è una squadra di calcio.

TERNI

LINAM

AMOR

VENUSUTI

RINA TASERN

7. Inserisci la parola che manca tra le parentesi.

carcere (galera) nave
andato (.......) fazione

8. Inserisci il numero che manca.

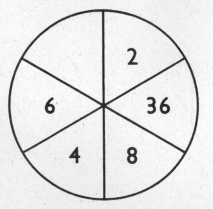

9. Quale delle sei figure numerate completa la serie? (Scrivi il numero nel quadrato.)

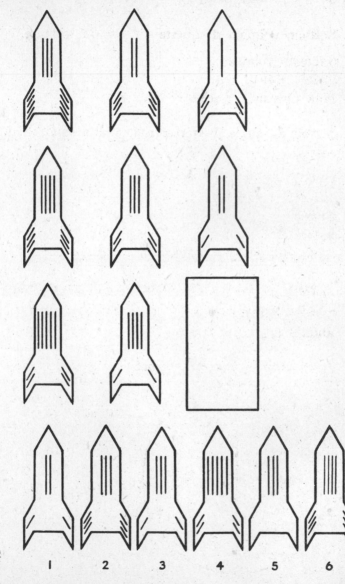

10. Inserisci la parola che completi la prima parola e che formi l'inizio della seconda. (La chiave è: angolo.)

AC (. . . . .) NE

11. Sottolinea quali sono le due figure che non formano un paio.

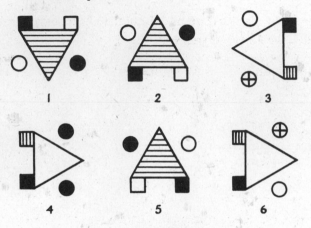

12. Inserisci la lettera che manca.

D I G N - Q O T

13. Inserisci il numero che manca.

16	28	41	58
37	49	62	

14. Inserisci tra le parentesi la parola che possa esser preceduta da ciascuna delle lettere sulla sinistra.

P
T
M
R
SC

(. . . .)

15. Trova le parole che abbiano lo stesso significato delle parole tra parentesi.

N + (stella) = (fettuccia)

16. Aggiungi il numero che manca.

9 4 20
8 5 12
7 6 -

17. Sottolinea la parola da scartare.
Impresa, resa, premi, rima, mare, esami, parco, misera

18. Inserisci la parola che completi la prima parola e che formi l'inizio della seconda. (La chiave è: maestrale.)

CON (.....) SA

19. Quale delle sei figure numerate nella pagina seguente completa la serie? (Scrivi il numero nel quadrato.)

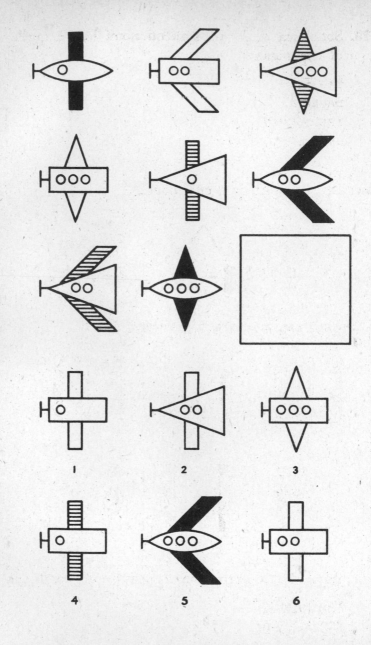

20. Sottolinea quale dei seguenti nomi non è quello di una ragazza.

TABENTI

DAGLI

TEEMILCNAN

GRIPA

21. Inserisci il numero che manca.

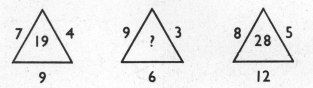

22. Sottolinea la figura da scartare.

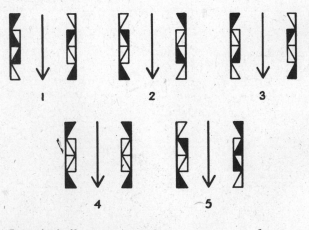

23. Inserisci il numero che manca tra le parentesi.

188 (300) 263
893 (   ) 915

24. Inserisci una parola che abbia lo stesso significato delle due parole fuori delle parentesi.

amato (. . . .) costoso

25. Completa quanto segue con una delle cinque figure numerate. (Sottolinea la figura corretta.)

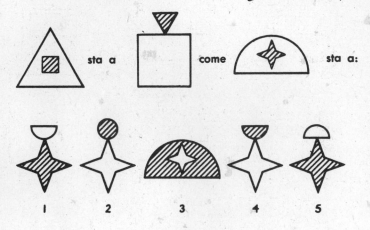

26. Sottolinea quale di questi non è un divo del cinema.

BALEG

NORLE

OROPEC

SASPEM

DABTOR

27. Aggiungi la lettera mancante.

S P L

O I D

U' P -

28. Quale delle sei figure numerate completa la serie? (Scrivi il numero nel quadrato.)

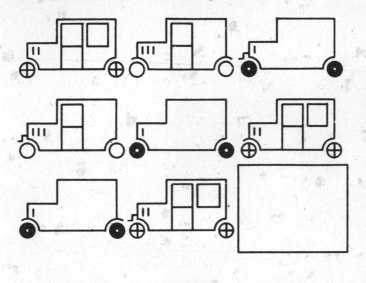

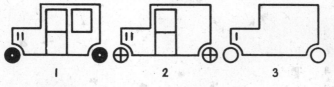

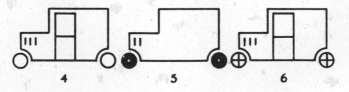

29. Inserisci il numero che manca tra le parentesi.

347 (418) 489
643 (   ) 721

30. Quale delle sei figure numerate completa la serie? (Sottolinea la figura corretta.)

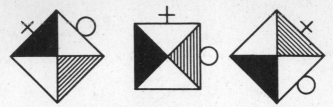

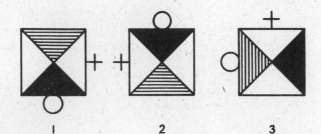

1   2   3

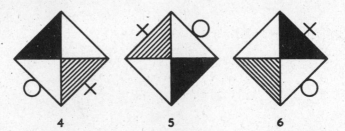

4   5   6

31. Inserisci il numero che manca.

  4   12 10   6
 10   3   6   7
  6   8   -   5

32. Sottolinea la parola da scartare.

dente   niveo   Tombuctù   Milano   aquila

116

33. Inserisci la parola che completi la prima parola e che formi l'inizio della seconda. (Chiave: fede.)

SE (. . . .) NDA

34. Inserisci la lettera che manca.

35. Inserisci il numero che manca.

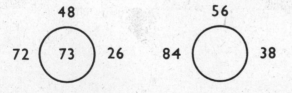

36. Inserisci le lettere che mancano.

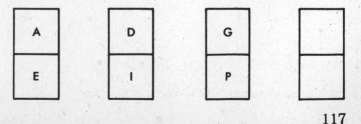

37. Inserisci la parola che completi la prima parola e che formi l'inizio della seconda. (Chiave: venuste.)

RI (. . . . .) TTO

38. Sottolinea la frase che completa il periodo.

Franco ha una torta; Bruno ha un fiasco; Sergio ha dei fogli. Chi viene dopo: Giovanni con un tavolo; Nino con dei baroni; Dante con la poesia o Riccardo con la sua gobba?

39. Aggiungi la lettera che completa la serie.

A U F N Q - -

40. Inserisci il numero che manca.

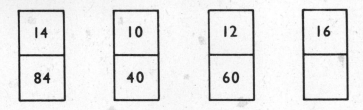

TEST **5**

1. Aggiungi la lettera mancante.

A D G L -

2. Sottolinea il nome del personaggio da scartare.

Rembrandt   Shakespeare   Tintoretto   Raffaello
Monet

3. Quale delle sei figure numerate completa la serie?
(Scrivi il numero nel quadrato.)

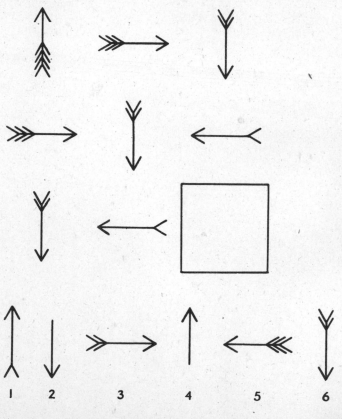

4. Aggiungi il numero mancante.

2   5   9   19   37   -

5. Sottolinea quale di questi animali è da scartare.

aringa   focena   pescecane   razza   sogliola   passerino

6. Sottolinea quale di queste città si trova in Italia.

ORINLEB
DADRIM
DROLAN
IBROVET

7. Scrivi la parola che manca tra le parentesi.

afferrato (. . . . .) istruito

8. Scrivi il numero che manca nella parte superiore del disegno.

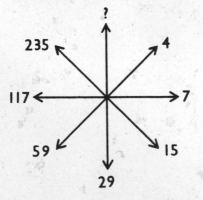

122

9. Quale delle sei figure numerate completa la serie?
(Scrivi il numero nel quadrato.)

1

2

3

4

5

6

10. Inserisci una parola che completi la prima parola e che formi l'inizio della seconda. (Chiave: termine.)

CON (. . . .) STRA

11. Sottilinea quali sono le due figure che non formano un paio.

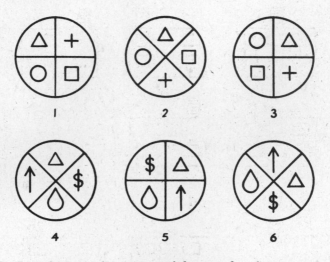

12. Inserisci tra le parentesi la parola che possa esser preceduta da ciascuna delle lettere sulla sinistra.

124

13. Quale delle sei figure numerate completa la serie? (Scrivi il numero nel quadrato.)

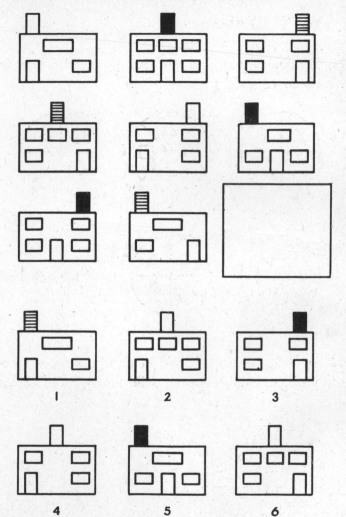

14. Aggiungi la lettera che manca.

L M I O E -

15. Trova le parole che abbiano lo stesso significato di quelle tra parentesi.

P ┤ (furia) = (rogo)

16. Inserisci il numero che manca.

4. 6   3   8
2   8   4   4
6   5   -   10

17. Sottolinea, nel secondo rigo, la parola che ha qualcosa in comune con le tre parole del primo rigo.

BUSTO   GIORNO   TERMINE
carie   giglio   gatto   abile   soprano   sciocco

18. Sottolinea quale di questi non è un animale.

LATEFENE

ROGLIL

LABANE

FEFAC

19. Inserisci il numero che manca.

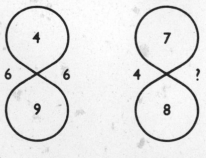

20. Inserisci la parola che completi la prima parola e che formi l'inizio della seconda. (Chiave: giaciglio.)

DI (. . . . .) RE

21. Sottolinea la figura da scartare.

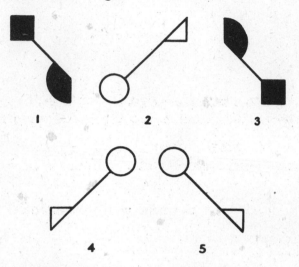

22. Inserisci la parola che manca tra le parentesi.

OR (CERO) 53
AL (. . . .) 96

23. Sottolinea quale di queste città non si trova in Italia.

SAISSI
RANTI
TRACESA
CULONA
BULLONE

24. Inserisci la parola che abbia lo stesso significato delle due parole fuori delle parentesi.

eccetto (. . . . .) scampato

25. Quale delle cinque figure numerate completa la serie? (Scrivi il numero nel quadrato.)

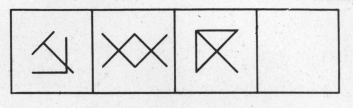

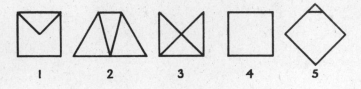

1	2	3	4	5

26. Aggiungi il numero che manca.

3   7   15   31   -

27. Inserisci le lettere che mancano.

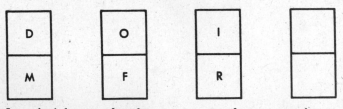

28. Inserisci la parola che manca tra le parentesi.

astringente (sale) eldorado
affetto (. . . .) emporio

128

29. Quale delle sei figure numerate completa la serie?
(Scrivi il numero nel quadrato.)

 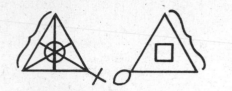 

1   2   3

4   5   6

30. Scrivi la parola che completi la prima parola e che formi l'inizio della seconda. (Chiave: trattore.)

P (. . . .) LLO

31. Inserisci la lettera che manca.

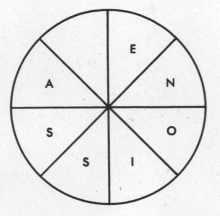

32. Sottolinea la parola da eliminare.

tenente   frustrato   capanna   lavoro   tris

33. Aggiungi la lettera che manca.

C 4 M 2 Q 3 -

34. Inserisci il numero che manca.

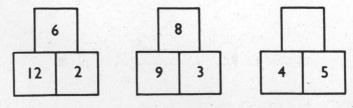

35. Aggiungi il numero che manca.

```
 6    8    7
36   64   49
24   48    -
```

36. Sottolinea quale delle sei figure numerate completa la serie.

 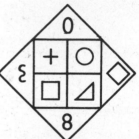

 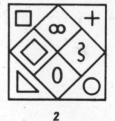

1   2

3   4

37. Durante una seduta spiritica la medium fece apparire Bismarck, Disraeli, Fieramosca e Hastings. Chi dei seguenti personaggi evocò in seguito: Pitt, Napoleone, Leonardo, Nelson o Wellington? Sottolinea il personaggio corretto.

38. Sottolinea il numero da scartare.

739   1341   522   1862

39. Inserisci il numero che manca.

3	4	5
552	992	

40. Inserisci il numero che manca.

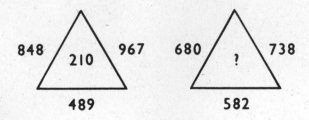

848 / 210 \ 967   680 / ? \ 738

489   582

TEST **6**

1. Quale delle sei figure numerate completa la serie?
(Scrivi il numero nel quadrato.)

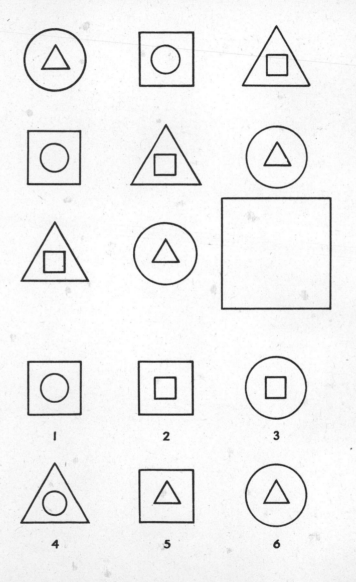

2. Trova la lettera che manca.

F I N Q -

3. Sottolinea il nome del personaggio da scartare.

Alessandro   Napoleone   Wellington   Nelson
Annibale

4. Aggiungi il numero che manca.

8   12   10   16   12   -

5. Sottolinea la parola da scartare.

risciò   sambuco   panfilo   barca   giunca

6. Sottolinea quale di questi animali è realmente esistente e non mitologico.

GORDA

CONTROPILA

FRENIGO

CURAGNO

7. Inserisci la parola che manca tra le parentesi. (Chiave: azione.)

fortezza (rocca) conocchia
idoneo (. . . .) certificato

8. Inserisci la parola che completi la prima parola e che formi l'inizio della seconda. (Chiave: nota.)

PER (. .) SCA

9. Quale delle sei figure numerate completa la serie?
(Scrivi il numero nel quadrato.)

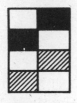 

1   2   3

4   5   6

137

10. Inserisci il numero che manca.

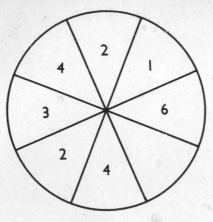

11. Sottolinea la figura da scartare.

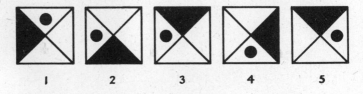

| 1 | 2 | 3 | 4 | 5 |

12. Aggiungi la lettera che manca.

H M S
C G Q
E L -

13. Sottolinea il rettangolo da scartare.

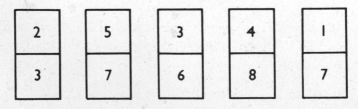

14. Scrivi nella parentesi la parola che possa esser preceduta da ciascuna delle lettere sulla sinistra.

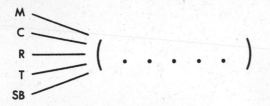

15. Inserisci la parola che manca nella parentesi.

ferro (via) dotto
mare (. . . .) scafo

16. Inserisci il numero che manca.

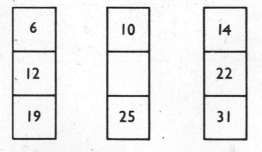

17. Sottolinea la parola da scartare.

Accessorio: caso, rosso, corso, riso, faro, circo, secca, carie, casco

18. Inserisci la parola che completi la prima parola e che formi l'inizio della seconda. (Chiave: immota.)

IN (. . . . .) GLIO

19. Quale delle sei figure numerate completa la serie?
(Scrivi il numero nel quadrato.)

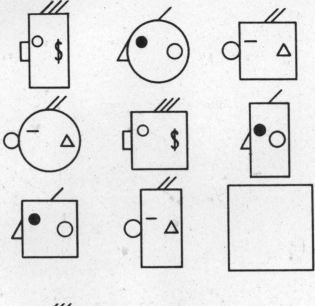

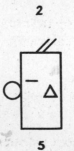

1

2

3

4

5

6

20. Sottolinea quale di queste città non si trova negli U.S.A.

GICOHAC

TENEA

TONSOB

GOTHNINSAW

21. Inserisci il numero che manca.

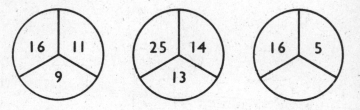

22. Sottolinea la figura da scartare.

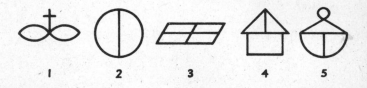

1   2   3   4   5

23. Inserisci la parola che manca tra le parentesi.

ardimentoso (toro) peperone
chiassoso (. . . .) collera

24. Inserisci la parola che ha lo stesso significato delle due parole fuori delle parentesi.

batteria (. . . .) acquasantiera

25. Sottolinea quale delle cinque figure numerate completa la serie.

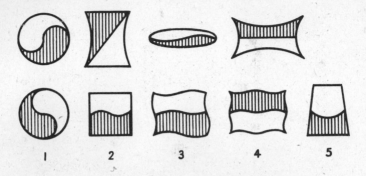

26. Sottolinea quale degli animali i cui nomi sono qui sotto anagrammati ha meno di quattro zampe.

TORTA

ELENO

FENTELEA

SORBALTA

GUAIOGRA

27. Inserisci il numero che manca tra le parentesi.

164 (225) 286
224 (   ) 476

28. Inserisci la parola che completi la prima parola e che formi l'inizio della seconda (Chiave: linea)

RI (. . . . . .) RE

29. Sottolinea il numero da scartare.

837   612   549   422   342

30. Quale delle sei figure nella pagina seguente completa la serie? (Scrivi il numero nel quadrato.)

 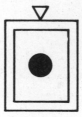 

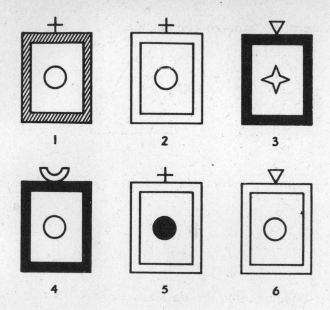

31. Aggiungi il numero che manca.

   8   3 21
   6   5 25
  12   2   -

32. Scrivi la parola che manca tra le parentesi.

54 (fede) 56
19 (. . . .) 17

33. Sottolinea la parola da scartare.

sedia letto amaca tavola divano

34. Inserisci il numero che manca.

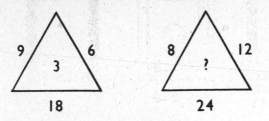

35. Aggiungi la lettera che manca.

L O T
D H Q
M P -

36. Sottolinea il numero da scartare.

9 25 36 78 144 196

37. Inserisci la lettera che manca.

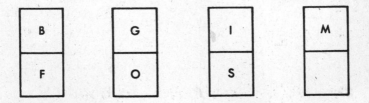

38. Inserisci il numero che manca.

7 15 32 - 138 281

39. BAGG sta a Guglielmo il Conquistatore come BELC sta a chi?

40. Inserisci il numero che manca.

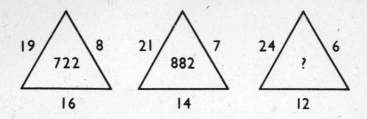

TEST **7**

1. Aggiungi la lettera che manca.

R O L G -

2. Sottolinea il nome del personaggio da scartare.

Mozart Bach Socrate Handel Beethoven

3. Inserisci il numero che manca.

17 19 - 20 15

4. Sottolinea quale di queste città è da scartare.

Oslo Roma New York Cairo Bombay
Caracas Madrid

5. Riordina le lettere di ciascuna delle seguenti parole; ogni parola è il nome di un animale: sottolinea quale di questi animali è il più grande.

OLARPODE

GITER

EARZB

CALE

OGILINCO

VOLCALA

6. Inserisci la parola che completi la prima parola e che formi l'inizio della seconda (Chiave: astro.)

CON (. . . .) RTE

7. Quale delle sei figure numerate completa la serie? (Scrivi il numero nel quadrato.)

8. Scrivi la parola che manca tra le parentesi.

fine (termine) vocabolo
topo (.....) veloce

9. Quale delle sei figure numerate completa la serie?
(Scrivi il numero nel quadrato.)

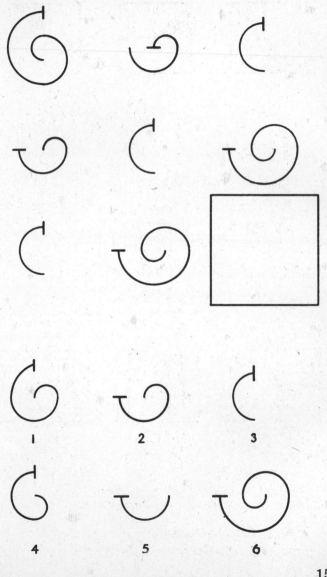

10. Inserisci il numero che manca.

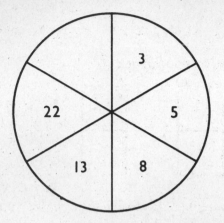

11. Sottolinea quali sono le due figure che non stanno nell'ordine giusto.

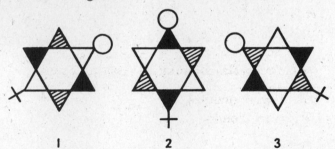

1   2   3

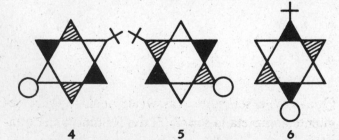

4   5   6

12. Aggiungi la lettera che manca.

C G M Q -

13. Inserisci il numero che manca.

6	12	24	48
2	4	16	

14. Scrivi tra le parentesi la parola che possa esser preceduta da ciascuna delle lettere sulla sinistra.

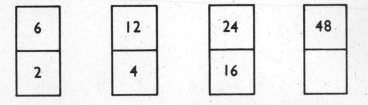

15. Scrivi la parola che manca tra le parentesi.

capo (giro) tondo
tra (.....) fondo

16. Aggiungi il numero che manca.

6 4 5
3 2 1
8 5 -

17. Quale delle sei figure numerate nella pagina seguente completa la serie? (Scrivi il numero nel quadrato.)

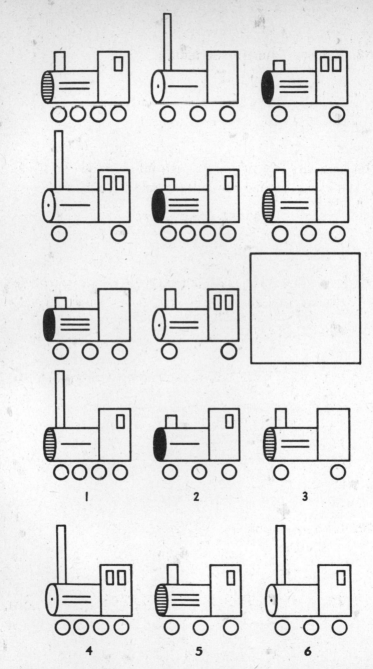

1

2

3

4

5

6

154

18. Trova il numero che manca.

```
17   33    8
 5   29   12
13    -   10
```

19. Sottolinea la parola nel rigo inferiore che ha qualcosa in comune con le tre parole del rigo superiore.

SEGA   CANE   SPADA

paura   foca   grazia gatto momento   vettura

20. Scrivi la parola che completi la prima parola e che formi l'inizio della seconda. (Chiave: nota.)

RAC (. . . . .) RNO

21. Sottolinea quale di questi non è uno sport di squadra.

ICS

YGBUR

LOOP

LACCIO

22. Inserisci il numero che manca.

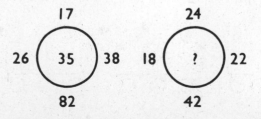

23. Sottolinea la figura da scartare.

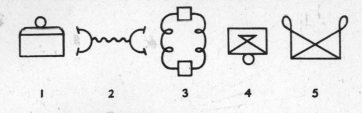

1	2	3	4	5

24. Scrivi la parola che manca tra le parentesi.

opera (pomo) omonimo
evento (. . . .) alchimia

25. Scrivi la parola che ha lo stesso significato delle due parole fuori delle parentesi.

pazzo (. . . . .) opaco

26. Quale delle cinque figure numerate completa la serie? (Scrivi il numero nel quadrato.)

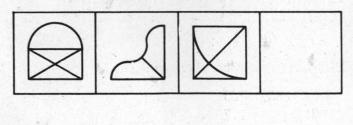

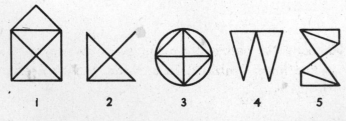

1	2	3	4	5

156

27. Scrivi tra le parentesi la parola che possa esser preceduta da ciascuna delle lettere sulla sinistra.

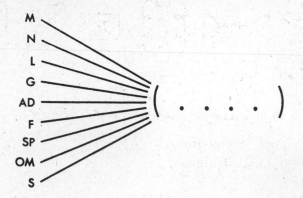

M
N
L
G
AD
F
SP
OM
S

(. . . .)

28. Inserisci il numero e la lettera che mancano.

3	7	II	
C	G	M	

29. Scrivi il numero che manca tra le parentesi.

132 (834) 285
214 (   ) 117

30. Scrivi la parola che completi la prima parola e che formi l'inizio della seconda. (Chiave: altare.)

c (. . .) TRO

31. Quale delle sei figure numerate completa la serie?
(Scrivi il numero nel quadrato.)

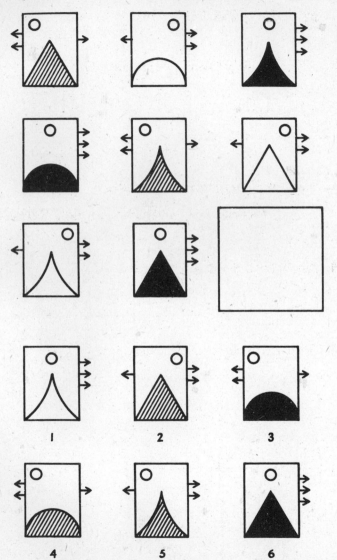

32. Sottolinea quale di questi numeri non ha niente in comune con gli altri.

625   361   256   197   144

33. Aggiungi il numero che manca.

4   8   20
9   3   15
6   6

34. Sottolinea la parola da scartare.

lasagna   elementare   identici   ottagono   unicorno

35. Aggiungi il numero che manca.

4   6   9   14   -

36. Inserisci la lettera che manca.

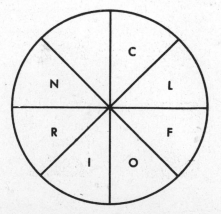

37. Scrivi la parola che completi la prima parola e che formi l'inizio della seconda. (Chiave: adesivo.)

TRA (. . . . .) RE

38. Aggiungi il numero che manca.

28 33 31 36 34 -

39. Inserisci il numero che manca.

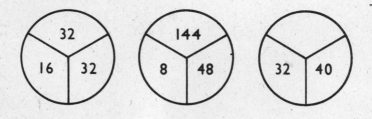

40. Se DGL + LAE + BHF = DDAB, e $\dfrac{F \times C}{L}$ = GA, a che cosa è uguale $\dfrac{A}{G}$?

TEST **8**

1. Aggiungi la lettera che manca.

V R N H -

2. Sottolinea il mese da scartare.

Agosto Settembre Ottobre Novembre Dicembre

3. Aggiungi il numero che manca.

36 28 24 22 -

4. Sottolinea la nazione da scartare.

Spagna Danimarca Germania Francia Italia
Finlandia

5. Riordinando le lettere di ciascuna delle seguenti
parole si ottengono nomi di vari tipi di veicoli.
Sottolinea quale di questi è diverso dagli altri.

ROCRA
RACT
BLICIATTE
TILSTA
CRORAZZA

6. Inserisci la parola che ha lo stesso significato delle
due parole fuori delle parentesi.

desta (.......) orologio

7. Scrivi tra le parentesi la parola che completi la
prima parola e che formi l'inizio della seconda.
(Chiave: adesso.)

SP (...) TA

8. Quale delle sei figure numerate completa la serie? (Scrivi il numero nel quadrato.)

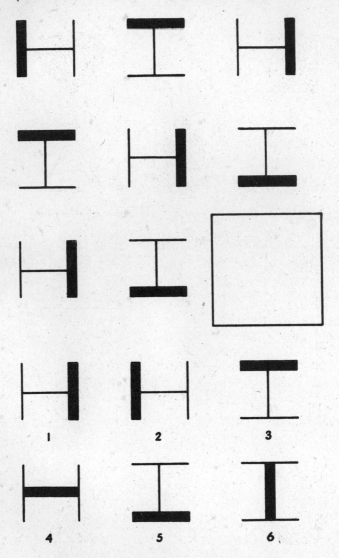

9. Quale delle sei figure numerate completa la serie?
(Scrivi il numero nel quadrato.)

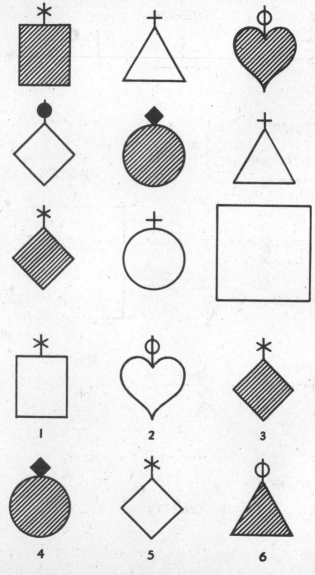

10. Inserisci il numero che manca.

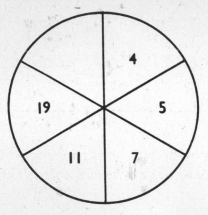

11. Sottolinea la figura da scartare.

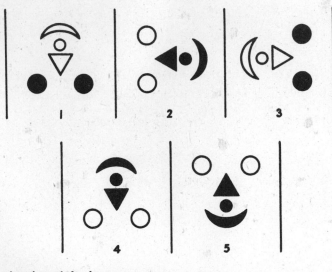

12. Aggiungi la lettera mancante.

```
I    N    C
M    O    G
S    Z    -
```

13. Inscrisci il numero che mancà.

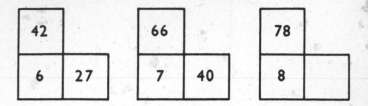

14. Scrivi tra le parentesi la parola che possa esser preceduta da ciascuna delle lettere sulla sinistra.

15. Trova le parole in parentesi.

o + (Zeus) = (sentimento di viva ostilità)

16. Aggiungi il numero mancante.

8 6 4
4 1 9
6 4 -

17. Quale delle sei figure numerate nella pagina seguente completa la serie? (Scrivi il numero nello spazio bianco.)

18. Sottolinea nel secondo rigo la parola che ha qualcosa in comune con quelle del primo rigo.

PRODOTTO   PROLETARIATO   SUOLO   SOPRA
pioggia   giglio   animale   luce   tenente

19. Scrivi la parola che completi la prima e formi l'inizio della seconda. (Chiave: luminosità.)

AL (. . . .) RNA

20. Sottolinea quale di queste città non si trova in Inghilterra.

PELVIOLOR
DARDIM
GRUMBIDEO
VERDO

21. Inserisci il numero che manca.

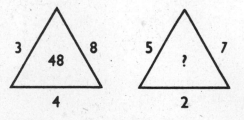

22. Sottolinea la figura da scartare.

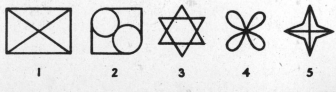

23. Inserisci il numero che manca tra le parentesi.

243 (222) 317
548 (   ) 621

24. Scrivi una parola che abbia lo stesso significato delle due parole fuori delle parentesi.

chiazza (. . . . . . .) boscaglia

25. Quale delle cinque figure numerate completa la serie? (Scrivi il numero.)

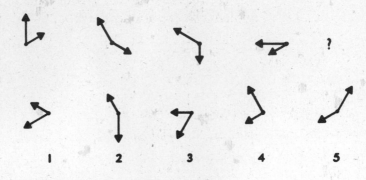

26. Aggiungi la lettera che manca.

A G U F
O G U S
A G U -

27. Inserisci le lettere che mancano.

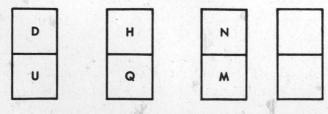

28. Scrivi la parola che manca tra le parentesi.

capestro (trio) Sion
parentesi (. . . .) indicato

29. Inserisci la parola che completi la prima parola e
che formi l'inizio della seconda. (Chiave: unica.)

I (. . . .) RE

30. Ecco tre numeri: sottolinea nel rigo inferiore quello che ha qualcosa in comune con essi.

　　　372　258　441
283　488　137　381　242

31. Inserisci il numero che manca.

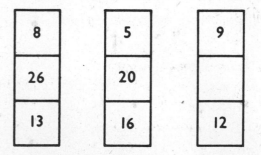

32. Aggiungi il numero che manca.

5　6　7　8　10　11　14　-

33. Quale delle figure numerate nella pagina seguente
completa la serie? (Scrivi il numero nel cerchio.)

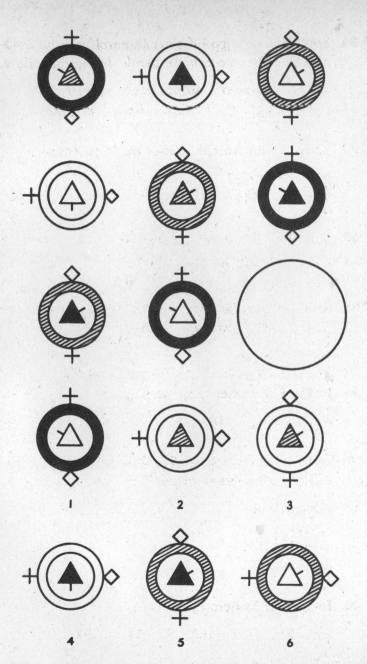

34. Sottolinea nel rigo inferiore la parola che ha qualcosa in comune con le tre parole del rigo superiore.

PORTO   MONTAGNA   TEMPO
clima   grazia   verdura   libro   serpente

35. Scrivi il numero che manca tra le parentesi.

532 (630) 217
648 (   ) 444

36. Sottolinea il numero da scartare.

5   7   9   17   23   37

37. Scrivi la parola che completi la prima e formi l'inizio della seconda. (Chiave: stonatura)

BI (......) TO

38. Inserisci il numero che manca.

8   24   12   -   18   54

39. Sottolinea la parola che completi la seguente frase.
PAILETO sta a EBRANSISCO come OSPUS sta a:

GLITHGINRUO

AGRIVUO

TIPSICATRIA

CASTIPLAS

40. Inserisci il numero che manca.

260   216   128   108   62   54   -   27

SOLUZIONI

TEST 1

1. 14. (I numeri procedono di tre in tre.)

2. Ufficio. (Non è un luogo di abitazione.)

3. 14 e 13. (Due serie di numeri si alternano, procedendo di due in due.)

4. Balena. (È un mammifero, gli altri sono pesci.)

5. Comet. (Ford, Maserati, Ferrari e Fiat sono marche di automobili; il Comet è un aeroplano di linea.)

6. Capo. (La parola centrale ha lo stesso significato delle parole laterali, la testa è il capo e un capo è un condottiero.)

7. TESO

8. 5. (Le figure diventano più piccole progressivamente da sinistra a destra.)

9. 3. (In ogni fila c'è un cerchio, un quadrato e un rombo; le linee all'interno delle figure sono alter-

nativamente verticali od oblique. La figura mancante deve essere, quindi, un quadrato intersecato da linee oblique.)

10. 32. (Moltiplicando il primo numero per il secondo si ottiene il terzo: $1 \times 2 = 2$; moltiplicando il secondo per il terzo si ottiene il quarto, e così via. $4 \times 8 = 32$, cosicché 32 è il numero mancante.)

11. 5. (Il lato più spesso ruota in senso antiorario, il cerchietto nero in senso orario e le due sbarrette precedono il cerchietto fuorché nella figura ‑5, dove lo seguono.)

12. (I numeri in alto si succedono secondo questo ordine: $-1, +2, -3, +4$; quelli in basso secondo quest'altro: $+1, -2, +3, -4$.)

13. U. (Nella successione alfabetica si saltano alternativamente due o tre lettere.)

14. ASSO.

15. More e amore. (Le negre sono more e l'amore è un sentimento di viva affezione.)

16. 6 (Ciascun numero della fila inferiore è la metà della somma dei numeri corrispondenti nelle due file superiori.)

17. Fogli. (Anche le tre parole: bagagli, bandiera, cenere, possono esser precedute dalla parola "porta".)

18. 3. (Vi sono in ciascuna fila e in ciascuna colonna tre tipi di facce: rotonda, quadrata e triangolare; i nasi sono bianchi, neri o punteggiati, gli occhi sono o tutti e due bianchi o tutti e due neri o uno bianco e uno nero e vi sono uno o due o tre capelli. La faccia che manca deve essere quindi quadrata, col naso nero, con tre capelli e con un occhio bianco ed uno nero.)

19. TRA.

20. Sabrina. (I poeti sono: Leopardi, Foscolo, Dante e Carducci.)

21. 6. (Addiziona le cifre indicate dalle frecce lunghe e sottrai dal totale le cifre indicate dalle frecce corte.)

22. FORTUNA. (Sostituisci con le quattro lettere fuori delle parentesi la sesta, la quinta, la terza e la seconda lettera mancante, in quest'ordine.)

23. Seno.

24. 5. (A ogni giro il cerchietto e il rettangolino cambiano posto, eccezion fatta per la quinta figura; questa è dunque la figura da scartare. La freccia e il punto interrogativo rimangono sempre al loro posto.)

25. Salomè. (I compositori sono Mozart, Strauss e Verdi.)

26. B. (Le lettere della seconda colonna sono, rispetto a quelle della prima colonna, avanti di tanti posti quanti, invece ne sono indietro le lettere della terza colonna rispetto a quelle della prima. Così N sta quattro lettere prima di I, e F sta a quattro lettere dopo I.)

27. 2. (Il cerchio inscritto nel quadrato diventa un quadrato rivoltato e inscritto nel cerchio, così il quadrato inscritto nel triangolo diventa un triangolo capovolto inscritto nel quadrato. Il tratteggio si sposta dalla figura interna a quella esterna. I tre rettangoli esterni si capovolgono e quelli tratteggiati diventano neri, mentre quelli neri diventano tratteggiati.)

28. 2. (La figura principale ruota di 90 gradi. Il tratteggio e gli spazi bianchi invertono il loro posto e la figura centrale ruota indipendentemente di 90 gradi.)

29. NEVE. (La parola tra parentesi è formata dalla terz'ultima e dalla quart'ultima lettera (in quest'ordine) della parola che precede la parentesi e dalla terz'ultima e quart'ultima lettera della parola che segue la parentesi.)

30. STA.

180

31. 3. (Tutte le figure della serie hanno o tre linee con un rettangolo o sei linee senza.)

32. 1. (In ciascuna fila e in ciascuna colonna c'è un corpo rotondo, uno quadrato e uno filiforme; dei piedi rotondi, dei piedi quadrati e dei piedi filiformi, una testa rotonda, una quadrata e una triangolare; le braccia sono in alto, in basso o in posizione orizzontale. L'omino che manca deve avere, quindi, corpo filiforme, piedi rotondi, testa quadrata e braccia in basso.)

33. 10. (Il numero dell'ultima colonna è uguale alla somma dei numeri delle prime due colonne meno il numero della terza colonna. $[13 + 8] - 11 = 10$.)

34. New York. (New York non è una capitale.)

35. 18. (Si moltiplicano tra di loro i numeri esterni del triangolo e si dividono per dieci.)

36. 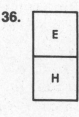 (Vi sono due serie concatenate che iniziano rispettivamente da A e D e procedono saltando ogni volta una lettera. Queste due serie vanno alternativnmente in su e in giù, così A in alto è seguito da C in basso, ecc.)

37. DOLO.

38. 26. (Vi sono due serie di numeri che si alternano e che iniziano con i primi due numeri. Ognuna

181

di esse è formata dal doppio del numero precedente della propria serie meno 2. $2 \times 14 = 28$;
$28 - 2 = 26$.)

39. Q (Il numero delle lettere tra A e ciascuna lettera
successiva della serie è sempre un numero *primo*
che a partire da due aumenta a 3, 5, 7, 11 e 13.
Tra A e Q vi sono infatti tredici lettere.)

40. 238. (Ciascun numero della serie si ottiene elevando alla prima, alla seconda, alla terza, alla quarta
e alla quinta potenza il numero 3 e quindi sottraendo rispettivamente da ognuna di tali potenze
1, 2, 3, 4 e 5. $3^1 - 1 = 2$; $3^2 - 2 = 7$; $3^3 - 3$
$= 24$; $3^4 - 4 = 77$; $3^5 - 5 = 238$.)

TEST 2

1. 24. (I numeri aumentano di quattro in quattro.)

2. 3. (I gruppi di puntini perdono un elemento in ogni direzione.)

3. Aringa. (È l'unico pesce tra mammiferi.)

4. 90 e 93. (La serie è formata aggiungendo alternativamente al numero precedente 3 e il doppio del numero stesso; così $45 \times 2 = 90$, e $90 + 3 = 93$.)

5. Apollo. (È un dio greco, tutti gli altri sono dèi romani.)

6. Washington. (Atene, Mosca, Milano e Salerno si trovano in Europa.)

7. Fine. (La parola tra parentesi ha lo stesso significato delle due parole fuori delle parentesi; sottile vuol dire fine e il fine indica lo scopo.)

8. MARE.

9. 5. (Le figure della riga inferiore sono uguali a

183

quelle della riga superiore, con la disposizione inversa del bianco e del nero.)

10. u. (d è la terza lettera da a, h è la quarta lettera da d, o è la quinta lettera da h e u è la sesta lettera da o.)

11. 39. (Ogni numero, a cominciare da 3 è il doppio del numero precedente meno uno, meno due, meno tre, ecc. $22 \times 2 = 44$; $44 - 5 = 39$.)

12. 4. (1 e 3 formano un paio come anche 2 e 5. In ogni paio una delle due figure è rivoltata di 90 gradi, e il bianco e il nero invertono il loro posto. La figura 4 non rientra in questo schema.)

13. 22. (Raddoppiare il numero del quadratino superiore e sottrarre uno, due, tre, quattro per ottenere il numero del quadratino inferiore.)

14. ERA.

15. Mano. (La parola tra parentesi funge da ponte tra la parola prima delle parentesi e quella dopo; essa completa la prima parola e forma l'inizio della seconda.)

16. 4. (Vi sono tre forme di testa, tre forme di corpo, tre tipi di coda e uno, due o tre baffi. Ciascuno di questi elementi ricorre una sola volta in ogni fila e in ogni colonna.)

17. 13. (Sommando il primo e l'ultimo numero di ogni fila si ottiene il terzo.)

18. Stella. (In tutte le altre parole le ultime due lettere sono consecutive nell'alfabeto; non così in stella.)

19. CORO.

20. Gibilterra. (Le isole sono Cuba, Irlanda e Capri.)

21. 16. (Dividere il numero in alto per quello a destra e raddoppiare il quoziente.)

22. 2. (1 e 5 sono identici, così pure 3 e 4.)

23. Fede. (I numeri si riferiscono alle rispettive lettere dell'alfabeto, cioè 5 è uguale a E, la quinta lettera, ecc. Queste lettere, sostituite dai numeri si leggono in ordine inverso.)

24. Mondo. (Mondo significa netto, ma anche universo.)

25. 786. (I numeri dopo la parola "minestra" corrispondono alle lettere di questa parola; le parole "semi", "sera" e "tra" sono formate dalle lettere di "minestra" e i numeri che le seguono sono i numeri corrispondenti a queste lettere nella parola originale, con l'aggiunta di 1 a ciascun numero dopo "semi", di 2 a ciascun numero dopo "sera" e di 3 a ciascun numero dopo "tra".)

26. F. (Tra le lettere successive di questa serie si trova, nell'alfabeto, un numero di lettere pari a 2, 4, 6, 8, 10 e 12. Il computo va fatto procedendo alternativamente nelle direzioni opposte, lungo l'alfabeto, [cioè dall'A alla z e quindi dalla z all'A]. In altri termini, le lettere alterne procedono nell'alfabeto, di due passi avanti e di due indietro. La successione N, L e H porta a F come lettera successiva.)

27. 2. Il cerchio originale è ridotto della metà e il quadratino originale, fatto ruotare di 45 gradi è posto sulla parte superiore del mezzo cerchio; parimenti il quadrato originale viene dimezzato, divenendo un rettangolo ed il rombo inscritto in esso ruota di 45 gradi ed è posto sulla parte superiore del rettangolo. Inoltre, dove nella figura originale c'è il tratteggio, nella seconda c'è superficie bianca e viceversa.)

28. FICO. (Nell'alfabeto le lettere prima delle parentesi precedono immediatamente le prime due lettere della parola tra parentesi, mentre le lettere dopo le parentesi seguono immediatamente le ultime due lettere della parola tra parentesi. A sta prima di B, H prima di I; H sta dopo G, e B dopo A.)

29. TRE.

30. 1. (Le croci fuori del rettangolo si addizionano, quelle dentro il rettangolo si sottraggono; nella fila inferiore $+3-1=+2$. Di conseguenza la risposta è che vi sono due croci fuori del rettangolo.)

31. 2. (Non ha angoli retti.)

32. 2. (La somma di tutti i righi e di tutte le colonne è 30; $12 + 16 = 28$, così manca 2 per arrivare a 30.)

33. Battello. (Le altre parole possono trovarsi unite nel discorso a tre nazionalità: bagno turco, stoffa inglese e profilo greco; battello invece no.)

34. 52. (I numeri della seconda figura sono la metà di quelli della prima figura; i numeri della terza figura sono il doppio di quelli della prima. Il numero mancante, quindi, deve essere $26 \times 2 = 52$. La posizione dei numeri non corrisponde, ma cambia ogni volta.)

35. 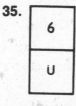 (I numeri aumentano di uno ogni volta; ogni lettera dista dalla precedente di tanti posti quanti ne indica il numero sopra di essa. Così H dista quattro posti da D, D dista di cinque posti da H e U di sei posti da O.)

36. Sesso. (La concupiscenza è un appetito sessuale.)

37. ROTTA.

38. Invertire. (Il palinsesto è un manoscritto la cui scrittura originaria è stata cancellata per poterlo riutilizzare; palindromo è una parola o una frase che può esser letta anche a rovescio, per es. OTTO.)

187

39. L. (I numeri corrispondenti al posto occupato dalle lettere nell'alfabeto sono 2, 5, 10, 17. Tali numeri rappresentano il quadrato dei primi quattro numeri [1, 2, 3, 4] più 1. $3^2 = 9$; $9 + 1 = 10$, quindi la decima lettera è L.)

40. 5436. (Vi sono due serie di numeri che cominciano da 7 e da 9 e che procedono a numeri alterni. Per la prima serie si eleva a quadrato il 7 e si sottrae il numero che lo segue immediatamente, cioè $7^2 - 9 = 40$. Parimenti $40^2 - 74 = 1526$. Per l'altra serie si eleva a quadrato il 9 e si sottrae il numero che lo precede immediatamente, cioè il 7; così $9^2 - 7 = 74$. Si ottiene il numero mancante elevando a quadrato 74 e sottraendo 40; si ha così 5436.)

TEST 3

1. 5. (I numeri diminuiscono ogni volta di cinque.)

2. Slitta. (Non ha ruote.)

3. 74. (Ogni numero è il doppio del precedente più uno, due, tre e quattro; così $35 \times 2 + 4 = 74$.)

4. Ragno. (Ha otto zampe, gli altri ne hanno sei.)

5. Topo. (Gli altri animali: sono bisonte, micio, pecora e giraffa.)

6. Piano. (Piatto vuol dire anche piano, e piano vuol dire adagio.)

7. 4. (Ci sono tre figure - cerchio, quadrato e triangolo - in ognuna delle tre posizioni; uno è nero, gli altri tre sono bianchi.)

8. AVO.

9. 6. (Il settore ruota di 90 gradi nel senso antiorario in ogni colonna e nel senso orario in ogni fila.)

10. c. (Vi sono due serie alterne; nella prima si sal-

tano una, due, tre, ecc. lettere in avanti, nell'altra si saltano una, due, tre, ecc. lettere indietro. Se dalla g si saltano tre lettere si ha c.)

11. 33. (Ogni numero è il doppio del precedente meno uno; così $17 \times 2 = 34 - 1 = 33$.)

12. 4. (Gli ovali bianchi sono attaccati a frecce che puntano a destra o in alto; gli ovali neri hanno frecce che puntano in basso o a sinistra. L'ovale 4 è nero, ma ha una freccia che punta in alto.)

13.

7
13

(I numeri in alto aumentano di 2, 3, 4, 5; quelli in basso del doppio, cioè di 4, 6, 8, 10.)

14. 1. (Ci sono tre forme di testa, tre tipi di naso, di bocca e di sopracciglia; ciascuno di questi elementi ricorre una sola volta in ogni fila e in ogni colonna.)

15. ALA.

16. Via. (La parola tra parentesi fa da ponte tra le due parole fuori delle parentesi; completa la prima parola e forma l'inizio della seconda.)

17. 19. (Per ottenere il terzo numero di ciascuna fila, sottrarre dal primo il secondo.)

18. Polizia. (In tutte le altre parole le prime due lettere sono consecutive nell'alfabeto; in "polizia" si trovano in ordine inverso.)

19. META.

20. Venere. (I nomi di ragazzo sono Roberto, Benedetto e Guglielmo.)

21. 97. (Computa a cominciare dal 4 in senso orario e continua secondo la curva a otto della figura: ogni numero è il doppio del precedente meno uno. $49 \times 2 = 98 - 1 = 97$.)

22. REMO. (La parola tra parentesi è composta dalla terza e dalla seconda lettera, in quest'ordine, delle parole fuori delle parentesi.)

23. Parco.

24. 4. (1 e 3 sono identici, come pure 2 e 5.)

25. R. (D è la prima lettera della parola "due", A è la terza lettera della parola "quattro", R è la seconda lettera della parola "tre". Il numero della lettera di ciascuna di tali parole è dunque minore di uno rispetto al numero indicato dalla parola stessa.)

26. E. (Le lettere in basso precedono nell'alfabeto le lettere in alto di 4, 6, 8, e 10 posti.)

27. 2. (I tre quadratini uguali sotto al grande triangolo, diventano tre triangolini uguali sopra al
grande quadrato. Le tre figure piccole a destra,
a sinistra e sopra al grande triangolo cambiano
posizione. Le figure geometriche, che sono bianche o nere nel primo disegno, rimangono bianche
o nere anche nel secondo.)

28. MANO. (La parola tra parentesi è formata dalla
seconda e terza lettera delle parole fuori delle parentesi prese in ordine inverso.)

29. MORE.

30. 6. (In ciascuna fila e in ciascuna colonna vi sono
tre tipi di corpo - rotondo, quadrato e triangolare -, tre tipi di testa - rotonda, quadrata e triangolare -, tre tipi di coda - dritta, ondulata e ric-
ciuta -, tre tipi di zampe - filiformi, bianche e
nere. Inoltre i corpi sono o bianchi o neri o tratteggiati. Il gatto mancante deve dunque essere il
numero 6.)

31. o. (Le lettere, se lette alternativamente e in senso orario, formano le parole "tono" e "topo".)

32. 20. (Il numero nell'ultima colonna si ottiene sottraendo dal numero della seconda colonna un numero X. X è il numero che indica quante volte il
numero della prima colonna deve essere moltiplicato per ottenere il numero della seconda colonna. $4 \times 6 = 24$; $24 - 4 = 20$.)

192

33. Barca. (Le altre parole possono essere seguite dalla parola via; barca invece no.)

34. 14. (Vi sono due serie, una di numeri dispari e l'altra di numeri pari. Entrambe aumentano ogni volta di due e alternano la loro posizione, andando cioè su o giù.)

35. 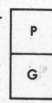 (Per le lettere in alto si avanza secondo l'ordine alfabetico, saltando ogni volta tre lettere, per quelle in basso si procede in senso opposto saltando ogni volta quattro lettere.)

36. 1. (La freccia, il triangolo e i quadrati bianchi e neri ruotano di 90 gradi ogni volta. La croce e il cerchietto fanno altrettanto, ma si scambiano continuamente il posto.)

37. Silvano. (Le prime lettere dei nomi degli amanti sono separate da tre, cinque e sette lettere; Giovanna e Silvano continuano la serie essendo g separata da s da nove lettere.)

38. 5,50. (La prima volta tardò di 30 minuti, la seconda di 30 + 50 minuti, la terza volta di 30 + 50 + 70 minuti, la quarta di 30 + 50 + 70 + 90 minuti, e infine la quinta di 30 + 50 + 70 + 90 + 110 minuti.)

39. NIVOERINUERSIE. (Zeus, Ermete e Apollo sono dèi greci, Venere è una dea romana. Questi dèi sono nascosti e si possono scoprire contando solo le lettere che sono precedute da una vocale.)

40.

(La serie comincia con 1/2. Per i valori successivi aggiungi rispettivamente 1, 2, 3, 4. Dividi ogni risultato per 1×1, 1×2, $1 \times 2 \times 3$, $1 \times 2 \times 3 \times 4$.)

TEST 4

1. 12. (I numeri diminuiscono di sei alla volta.)

2. Badoglio. (Non è un poeta.)

3. 2. (In ogni fila e in ogni colonna c'è un omino con le braccia in alto, orizzontali o in basso; con la testa bianca, nera o tratteggiata.)

4. 69. (Ogni numero è il doppio del precedente, cui alternativamente si aggiunge e si sottrae 1. $2 \times 35 = 70 - 1 = 69$.)

5. Quebec. (Tutte le altre città si trovano più o meno alla stessa latitudine; Quebec sta molto più a Nord.)

6. Rari Nantes. (Inter, Milan, Roma, Juventus sono squadre di calcio, la Rari Nantes è una squadra di pallanuoto.)

7. Partito. (La parola tra parentesi ha lo stesso significato delle parole fuori delle parentesi; partito vuol dire andato e indica anche una fazione politica.)

8. 64. (I numeri opposti sono il quadrato l'uno dell'altro; il quadrato di 8 è 64.)

9. 5. (Il numero delle righe dentro il missile diminuisce progressivamente; così pure il numero delle linee negli alettoni.)

10. CANTO.

11. 2 e 4. (1 e 5, e 3 e 6 fanno paio; se si fa ruotare di 180 gradi una figura si ottiene l'altra. Per 2 e 4 ciò non si verifica.)

12. L. (Vi sono due serie di lettere che si alternano; per ognuna di esse si procede saltando due lettere. Saltando, dopo G, H e I si ha L.)

13. 79. (La differenza tra i due numeri di ogni rettangolo è sempre 21; il numero in basso è sempre più grande. Così 58 + 21 = 79.)

14. ATTO.

15. Astro e nastro. (N + astro = nastro.)

16. 4. (In ciascuna fila sottrai il secondo numero dal primo e moltiplica per 4. 7 — 6 = 1 × 4 = 4.)

17. Parco. (Tutte le altre parole sono formate con le lettere della parola "impresa".)

18. VENTO.

19. 1. (Vi sono tre forme di carlinghe, tre forme di ali, uno, due o tre posti nella carlinga; le ali sono o nere o bianche o tratteggiate. Ciascuno di questi elementi ricorre una sola volta in ogni rigo e in ogni colonna.)

20. Pigra. (Bettina, Gilda e Clementina sono nomi di ragazze.)

21. 21. (Moltiplica i due numeri in alto e sottrai quello in basso. $9 \times 3 = 27 - 6 = 21$.)

22. 4. (Nelle figure 1 e 5 e nelle figure 2 e 3 i triangoli sono complementari e sono bianchi in una figura e neri nell'altra. La figura 4 non rientra in questo schema. Anche i due lati delle figure - a destra e a sinistra delle frecce - sono complementari. Nella figura 4 sono identici.)

23. 88. (Il numero in parentesi è il quadrato della differenza dei numeri fuori delle parentesi.)

24. CARO.

25. 4. (La figura maggiore si capovolge e poggia sulla parte superiore della figura minore; la figura minore diventa maggiore e la maggiore minore; la superficie tratteggiata diventa bianca e viceversa.)

26. Maspes. (I divi del cinema sono Gable, Loren, Cooper e Bardot.)

27. H. (Le lettere nella seconda colonna sono formate andando indietro nell'alfabeto rispettivamente di 2, 3, 4 posti. Quelle della terza colonna sono formate andando indietro alle lettere della seconda colonna di 3, 4, 5 posti rispettivamente. Il quinto posto dietro T è la lettera H.)

28. 4. (Per ciascuna fila e per ciascuna colonna vi è un'automobile con le ruote nere, una con le ruote bianche e un'altra con una croce sulle ruote; nel cofano vi sono una, due o tre fessure. Vi possono essere uno sportello e un finestrino, soltanto uno sportello oppure né l'un né l'altro. Vi può essere una manovella di avviamento, o un parafango o nessuno dei due. La risposta deve rientrare in questo schema.)

29. 682. (Il numero tra parentesi è la metà della somma dei numeri fuori delle parentesi.)

30. 1. (Il quadrato grande ruota in senso antiorario di 45 gradi ogni volta. La croce e il cerchio ruotano anch'essi di 45 gradi ma in senso orario.)

31. 9. (I numeri della terza colonna si ottengono addizionando quelli della prima e della seconda, e sottraendo quelli dell'ultima colonna. [6 + 8] — 5 = 9.)

32. Aquila. (In tutte le altre parola la prima e l'ultima lettera sono consecutive nell'alfabeto; in aquila sono uguali.)

33. VERA.

34. E. (Le lettere, lette in senso orario, formano la parola "prigione".)

35. 89. (Dividi per due ciascun numero fuori del cerchio e somma i tre risultati.)

36. 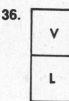 In alto, bisogna saltare due lettere ogni volta, in basso, bisogna saltarne tre, poi quattro e infine cinque.)

37. BELLE.

38. Dante con la poesia. (Il numero delle lettere dei nomi è rispettivamente 6, 5, 6; il nome successivo deve avere cinque lettere. Il numero delle lettere delle cose è rispettivamente 5, 6, 5; la cosa successiva deve avere sei lettere. Solo Dante - 5 lettere - con la poesia - 6 lettere - rientra in questa regola.)

39. A. Ogni lettera della serie corrisponde a un numero. Tale numero comincia da 1, che corrisponde al numero d'ordine alfabetico della lettera A, e aumenta progressivamente di 2, 3, 4, 5, 6 procedendo alternativamente dall'inizio e dalla fine dell'alfabeto. Così:

A corrisponde a 1 dall'inizio
U   »   » 3 dalla fine   ⟩ 2
F   »   » 6 dall'inizio   ⟩ 3
N   »   » 10 dalla fine   ⟩ 4
Q   »   » 15 dall'inizio   ⟩ 5
A   »   » 21 dalla fine   ⟩ 6

40. 112. (In ogni rettangolo il numero inferiore si ottiene dal quadrato del numero superiore diviso 2 e sottraendo da questo quoziente il numero superiore. Così $16^2 = 256$; $256 : 2 = 128$; $128 - 16 = 112$.)

TEST 5

1. O. (Tra una lettera e la successiva ci sono due posti nell'alfabeto.)

2. Shakespeare. (Tutti gli altri sono pittori.)

3. 4. (Le frecce girano di 90 gradi in senso orario in ogni fila e perdono ogni volta una penna della coda.)

4. 75. (Ogni numero è il doppio del precedente e aumenta e diminuisce alternativamente di uno. Così 37 è il doppio di 19 meno 1, e 75 è il doppio di 37 più 1.)

5. Focena. (La focena è un mammifero, tutti gli altri sono pesci.)

6. Viterbo. (Le altre sono Berlino, Londra e Madrid.)

7. Colto. (La parola tra parentesi ha lo stesso significato delle parole fuori delle parentesi; afferrato vuol dire colto e colto vuol dire istruito.)

8. 469. (Cominciando da 4 ogni numero è il doppio

del precedente cui alternativamente è sottratto e aggiunto uno.)

9. 4. (Le orecchie sono quadrate, rotonde o triangolari e la scriminatura sta a destra, a sinistra o al centro. Ognuno di questi particolari compare una sola volta in ogni fila e in ogni colonna.)

10. FINE.

11. 2 e 5. (1 e 3, e 4 e 6 fanno paio perché si può far derivare una figura dall'altra facendo ruotare di 90 gradi i quattro piccoli disegni inscritti nel cerchio; ciò non è possibile con le figure 2 e 5.)

12. ETTO.

13. 2. (Le ciminiere stanno o a destra o a sinistra o al centro e possono essere bianche, nere o tratteggiate. Vi possono essere una, due o tre finestre al piano superiore e la porta può trovarsi a destra, a sinistra o al centro. Ognuno di questi particolari ricorre una sola volta in ogni fila e in ogni colonna.)

14. z. (Ogni lettera salta alternativamente avanti e indietro nell'alfabeto, sempre raddoppiando il numero delle lettere saltate, cioè 1, 2, 4, 8, 16. La sedicesima lettera dopo E è z.)

15. Ira e pira.

16. 3. (Moltiplicando il numero della prima colonna per quello della seconda e dividendo il prodotto per il numero della quarta si ottiene il numero della terza colonna. $\dfrac{5 \times 6}{10} = 3.$)

17. Soprano. (Anche le tre parole: busto, giorno e termine possono essere precedute dalla parola "mezzo".)

18. Caffè. (Le altre parole sono elefante, grillo e balena.)

19. 14. (Moltiplicando i due numeri dentro i due cerchi e dividendo il prodotto per il numero esterno a sinistra si ottiene il numero esterno a destra.)

20. LETTO.

21. 5. (Vi sono due coppie di disegni: 1 e 3, 2 e 4. Queste coppie si ottengono facendo ruotare di 180 gradi uno dei due disegni. La figura 5 non rientra in questo schema.)

22. FILA. (Le lettere prima delle parentesi sono, in ordine inverso, le ultime due lettere della parola tra parentesi. La quinta e la terza lettera dell'alfabeto, in ordine inverso, formano le prime due lettere di "cero", mentre la nona e la sesta lettera, in ordine inverso, formano le prime due lettere della parola "fila".)

23. Lugano, che è in Svizzera. (Le altre sono Assisi, Trani, Caserta, Belluno.)

24. SALVO. (Può significare sia eccetto che scampato.)

25. 4. (Vi sono quattro linee rette come in ognuna delle figure originali.)

26. 63. (Raddoppiare ogni numero e aggiungere 1. $31 \times 2 = 62$; $62 + 1 = 63$).

27.

V
O

(Cominciando da D e N le lettere formano due serie saltando 1, 2 e 3 lettere. Le due serie si alternano nella posizione procedendo rispettivamente dall'alto in basso e dal basso in alto; cioè, D, F, I, O, e M, O, R, V.)

28. Fame. (La parola tra parentesi è formata dalle prime due lettere in ordine inverso, delle due parole fuori delle parentesi.)

29. 6. (Ogni triangolo è o bianco o tratteggiato o con tre linee interne. Circoscrive un quadrato, un cerchio o un 8 rovesciato. Lungo uno dei suoi tre lati ha una parentesi e sul vertice dell'angolo opposto o una croce o un ovale o un triangolino. Il triangolo che completa la serie è dunque il 6.)

30. OSTE.

31. P. (Le lettere lette nel senso antiorario formano la parola "passione".)

32. Tris. (Tutte le altre parole hanno tre vocali.)

33. z. (Ogni lettera dista dalla lettera precedente del doppio del numero dei posti indicati dal numero tra le lettere; così M è 2×4 posti lontano da c, e z è 2×3 posti lontano da Q.)

34. 11. (I numeri in ciascun gruppo di quadrati, sommati, raggiungono 20.)

35. 35. (Il numero della terza riga si ottiene sottraendo dal numero della seconda fila il numero della prima fila. $49 - 2 \times 7 = 35.$)

36. 3. (Andando dalla prima figura alla seconda, i quattro disegni agli angoli del quadrato ruotano nel senso orario, spostandosi ognuno di un posto avanti e il quadrato viene inscritto ‘nel rombo; i disegni negli angoli del rombo, ruotano nel senso antiorario, spostandosi di una posizione e il rombo circoscrive il quadrato. Nella terza figura le posizioni del rombo e del quadrato si invertono nuovamente, e continua il movimento in senso orario o antiorario dei disegni negli angoli di ciascuna figura.)

37. Leonardo. (Le lettere iniziali di questi personaggi distano nell'alfabeto di due posti l'una dall'altra.)

38. 1862. (Tutti gli altri numeri sono terze potenze rispettivamente di 9, 11 e 8, a ognuna delle quali è stato aggiunto 10.)

39. 1560. (I numeri in basso sono ottenuti dai quadrati dei numeri 24, 32, e 40, di tre numeri cioè che aumentano ogni volta di 8. Da questi quadrati si sottrae il prodotto di 8 per il numero in alto, ossia, rispettivamente, 3, 4, o 5. $40^2 - 5 \times 8 = 1560$ F.)

40. 216. (Ognuno dei numeri fuori del triangolo è all'incirca un quadrato. Così 848 è $29^2 + 7$; $967 = 31^2 + 6$; $489 = 22^2 + 5$. Moltiplicando $7 \times 6 \times 5$ si ottiene la cifra nel triangolo, cioè 210. $680 = 26^2 + 4$; $738 = 27^2 + 9$; $582 = 24^2 + 6$. $6 \times 4 \times 9 = 216$.)

TEST 6

1. 1. (In ogni fila vi sono un cerchio, un quadrato o un triangolo, sia nella figura esterna che in quella interna.)

2. т. (Tra una lettera e l'altra si saltano tre posti nell'alfabeto.)

3. Nelson. (È l'unico ammiraglio tra generali.)

4. 20. (Alternativamente dal doppio del numero sottrai quattro e alla metà del numero aggiungi quattro.)

5. Risciò. (Tutti gli altri sono vari tipi di battelli.)

6. Canguro. (Né il drago, né il licantropo né il grifone sono realmente esistenti.)

7. Atto. (Questa parola indica sia un'azione che un certificato.)

8. LA.

9. 6. (In ogni colonna gli spazi bianco, nero e tratteggiato vanno avanti di un posto.)

10. 8. (I numeri opposti vanno in coppia, poiché uno è il doppio dell'altro. Il doppio di quattro è otto.)

11. 3. (In tutti gli altri disegni il cerchio si sposta di un posto dal triangolo nero nel senso orario; nella figura 3 si sposta di un posto nel senso antiorario.)

12. v. (Le lettere nella seconda colonna sono la terza, la quarta e la quinta rispettivamente dopo le lettere della prima colonna; quelle della terza colonna sono la sesta, l'ottava e la decima, rispettivamente, dopo quelle della seconda colonna. In altri termini, tra le lettere della seconda colonna e quelle della terza vi è un numero di posti doppio rispetto a quello tra la prima e la seconda colonna.)

13. L'ultimo. (La differenza tra il numero di sotto e quello di sopra negli altri rettangoli è per ognuno, progressivamente, di 1, 2, 3, 4, aumenta, cioè, ogni volta di 1. Nell'ultimo rettangolo aumenta di 2. $7 - 1 = 6$.)

14. AGLIO.

15. Moto. (La parola tra parentesi funge da ponte tra quelle fuori delle parentesi; ferrovia e viadotto vanno insieme come maremoto e motoscafo.)

208

16. 17. (I numeri in alto aumentano, da sinistra a destra di quattro, quelli in mezzo di cinque e quelli in basso di sei. $12 + 5 = 17$.)

17. Faro. (Tutte le altre parole sono formate dalle lettere della parola "accessorio".)

18. FERMA.

19. 2. (In ogni fila e in ogni colonna vi sono tre forme di facce, tre forme di naso, tre tipi di orecchie, tre tipi di occhi e uno, due o tre capelli. Ognuno di questi elementi ricorre una sola volta in ogni fila e l'appropriata combinazione dà il profilo mancante.)

20. Atene, che si trova in Grecia. (Le altre sono Chichago, Boston e Washington.)

21. 7. (Addizionando i numeri in alto di destra e sinistra e dividendo per tre si ottiene il numero in basso. $16 + 5 = 21$; $21/3 = 7$.)

22. 3. È l'unica figura senza una linea verticale.)

23. Sole. (La parola tra parentesi è formata dalla terz'ultima e dalla quart'ultima lettera delle parole fuori dalle parentesi.)

24. Pila. (La pila può essere sia una batteria che un'acquasantiera.)

25. 3.(Le figure che hanno una linea retta sono tratteggiate in alto, le altre in basso.)

26. Albatros. (Gli altri sono ratto, leone, elefante e
giaguaro.)

27. 350. (Somma i due numeri fuori delle parentesi
e dividili per due.)

28. TRATTO.

29. 422. (Tutti gli altri numeri sono divisibili per nove.)

30. 1. (In ogni fila vi è una cornice bianca, una tratteggiata e un'altra nera. Vi sono tre figure diverse sopra le cornici e tre diverse dentro. Queste
figure interne sono rispettivamente nere, bianche
e tratteggiate. Completa la serie il disegno i cui
particolari non ricorrono invece nelle due figure
della fila.)

31. 22. (Moltiplicare il numero della prima colonna
per quello della seconda e dal prodotto sottrarre
il numero della seconda colonna. $2 \times 12 = 24$;
$24 - 2 = 22$.)

32. GAIA. (Prendi le lettere che corrispondono ai numeri - cioè A $= 1$, B $= 2$, C $= 3$ ecc. - in ordine
inverso.)

33. Amaca. (Tutti gli altri hanno quattro gambe.)

34. 4. (Moltiplicare i numeri a destra e a sinistra del triangolo e dividere per il numero di sotto:

$$8 \times 12 = 96; \frac{96}{24} = 4.)$$

35. u. (Le lettere della terza colonna si distanziano dalle lettere della seconda colonna di un numero di posti doppio rispetto a quello esistente tra le lettere della seconda colonna e quelle della prima. Vi sono due lettere tra M e P e quattro tra P e u.)

36. 78. (Tutti gli altri sono numeri quadrati.)

37. z. (La lettera inferiore si trova avanti, nell'alfabeto, a quella superiore di quattro, sei, otto e dieci posti; la lettera dopo M è z.)

38. 67. (Raddoppiare ogni numero e aggiungere successivamente 1, 2, 3, ecc. $2 \times 32 = 64 + 3 = 67$.)

39. Cristoforo Colombo. (Scrivi i numeri da 0 a 9 sopra le prime dieci lettere dell'alfabeto; il numero corrispondente a BAGG è 1066, associato a Guglielmo il Conquistatore, il numero corrispondente a BELC è 1492, anno in cui Colombo scoprì l'America.)

40. 1152. (Moltiplicare la cifra in alto per il quadrato del numero a sinistra, dividere, poi, per il numero a destra.)

TEST 7

1. D. (Tra una lettera e la successiva si saltano, nell'alfabeto, due posti indietro.)

2. Socrate. (Gli altri sono compositori.)

3. 16. (I numeri si succedono secondo quest'ordine alterno: $+2, -3, +4, -5$; $19 - 3 = 16$.)

4. Madrid. (Tutte le altre località sono circa 10 gradi di latitudine più a sud.)

5. Alce. (L'alce è più grande del leopardo, del cavallo, della tigre, della zebra e del coniglio.)

6. SOLE.

7. 5. (La superficie nera ruota di 90 gradi ogni volta.)

8. Ratto. (La parola tra parentesi ha lo stesso significato delle due parole fuori delle parentesi: ratto è un topo, ma significa anche veloce.)

9. 4. (Le spirali compiono un giro, o un giro e mezzo o mezzo giro, e ognuna delle posizioni ricorre una sola volta nella fila e nella colonna.)

10. 39. (Ogni numero è il doppio del precedente cui viene progressivamente sottratto 1, 2, 3, 4, ecc. Così $2 \times 22 - 5 = 39$.)

11. 5 e 6. (La stella gira ogni volta di una posizione nel senso orario, la croce e il cerchio ruotano ogni volta di una posizione nel senso antiorario. 5 e 6 completerebbero la serie se si trovassero uno al posto dell'altro.)

12. z. (Le lettere di questa serie sono le seconde dopo ognuna delle cinque vocali. z è la seconda lettera dopo u.)

13. 256. (In ciascun rettangolo i numeri in alto si raddoppiano ogni volta; quelli in basso sono numeri quadrati. Il quadrato di 16 è 256.)

14. ENTE.

15. Mezzo. (Capogiro e girotondo vanno insieme, così pure tramezzo e mezzofondo.)

16. 5. (Ogni numero nella fila in basso è la somma dei numeri della prima e della seconda fila meno 1; $5 + 1 - 1 = 5$.)

17. 1. (In ogni fila e in ogni colonna vi sono due, tre o quattro ruote; la parte davanti è nera, bianca o tratteggiata; c'è una ciminiera lunga, o una corta o una media, e vi sono una due o tre righe. La cabina ha un finestrino, o due o nessuno. È così che si può individuare la locomotiva mancante.)

213

18. 33. (I numeri del rigo centrale si ottengono sommando il numero della prima colonna al doppio del numero della terza colonna.)

19. Gatto. (Anche le tre parole: sega, cane e spada possono essere precedute dalla parola "pesce".)

20. CONTO.

21. Sci. (Rugby, calcio e polo sono giochi di squadre.)

22. 26. (Dalla somma dei numeri in alto e in basso sottrai la somma dei numeri a destra e a sinistra.)

23. 2. (La seconda figura è l'unica che non ha parti chiuse da linee rette o curve.)

24. VELA. (La parola tra parentesi è formata dalla seconda e dalla prima lettera - in quest'ordine - delle parole fuori delle parentesi.)

25. Matto. (Matto vuol dire sia pazzo che opaco.)

26. 3. (A differenza delle altre ha delle linee curve.)

27. ESSO.

28. 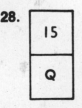 (I numeri aumentano di quattro ogni volta e le lettere sono la 3^a, la 7^a, l'11^a la 15ª dell'alfabeto.)

214

29. 662. (Il numero tra parentesi è formato dalla somma dei numeri fuori delle parentesi moltiplicata per due. $214 + 117 = 331 \times 2 = 662$.)

30. ARA.

31. 4. (La figura nel quadrato può essere un triangolo, un semicerchio o un'onda. Il cerchio in alto può stare a destra, a sinistra o al centro e le frecce possono trovarsi in tre posizioni. La figura mancante deve essere quindi un semicerchio tratteggiato, con un cerchio nell'angolo a sinistra e una freccia a destra e due a sinistra.)

32. 197. (Tutti gli altri sono numeri quadrati, a differenza di 197.)

33. 24. (Dal prodotto dei numeri delle prime due colonne sottrarre la loro somma. $[6 \times 6] - [6+6] = 24$.)

34. Unicorno. (In tutte le altre parole la prima e l'ultima vocale sono identiche.)

35. 23. (Raddoppia il numero precedente e sottrai 2, 3, 4, ecc. $2 \times 14 = 28 - 5 = 23$.)

36. U. (Vi sono due serie di numeri che cominciano rispettivamente da C e da L. In ogni serie si saltano due lettere per ottenere la lettera seguente. Saltando due lettere dopo R si ha U.)

37. COLLA.

38. 39. (I numeri aumentano alternativamente di cinque e diminuiscono di due.)

39. 25. (Ogni triade è formata da numeri tali che il quadrato di uno di essi diviso due è uguale al prodotto degli altri due. Così la metà di $32^2 = 512$, che è uguale a 16×32. La metà di $48^2 = 1152$, che è uguale a 8×144. La metà di $40^2 = 800$ che è uguale a 32×25. Il numero mancante è perciò 25.)

40. G. Anche il numero 2 è una risposta corretta. (Le lettere e i numeri corrispondenti sono:

A	B	C	D	E	F	G	H	I	L
4	6	9	1	5	8	2	7	0	3.)

TEST 8

1. D. (Tra una lettera e l'altra si saltano tre posti indietro nell'alfabeto.)

2. Agosto. (Non ha "r".)

3. 21. (Ogni numero è la metà del precedente più dieci. La metà di $22 = 11 + 10 = 21$.)

4. Danimarca. (È l'unico stato monarchico.)

5. Slitta. (Il carro, il cart, la bicicletta e la carrozza hanno le ruote, la slitta no.)

6. Sveglia. (La sveglia è un orologio, ma sveglia vuol dire anche desta.)

7. ORA.

8. 2. (La linea nera ruota ad ogni giro di 90 gradi in senso orario.)

9. 6. (Le figure nella terza fila sono composte dalla parte più grande di quelle della seconda fila e dalla parte più piccola di quelle della prima fila. Il tratteggio si alterna da una fila all'altra.)

10. 35. (Procedendo in senso orario, ogni numero è uguale al doppio del precedente meno 3; $19 \times 2 = 38 - 3 = 35$.)

11. 4. (1 e 5, 2 e 3 fanno paio; essi ruotano l'uno rispetto all'altro di 180 gradi e le superfici bianche e nere invertono il loro posto. La figura 4 non rientra in questo schema.)

12. ı. (Le lettere della seconda colonna si trovano, nell'alfabeto, di due, tre e quattro posti avanti a quelle della prima colonna; quelle della terza colonna sono indietro di tre volte tanto, si trovano cioè di nove, sei e dodici posti indietro. La dodicesima lettera dietro a z è ı.)

13. 47. (Dividere per due il numero in alto e sommare al quoziente il numero in basso per ottenere quello a destra.)

14. ORO.

15. Dio e odio. (O + dio = odio.)

16. 4. (Si ottiene il terzo numero elevando a quadrato la differenza tra i primi due numeri. $6 - 4 = 2$; $2^2 = 4$.)

17. 1. (Vi sono tre tipi di corpo: bianco, nero o tratteggiato; tre tipi di collo: rettilineo, curvo o attorcigliato; tre tipi di testa: rotonda, quadrata o triangolare; tre tipi di coda: in su, in giù o rettilinea. Ciascuna di tali caratteristiche ricorre una sola volta in ogni fila e in ogni colonna. Da ciò si può dedurre quale sia la combinazione dei particolari del drago mancante.)

18. Tenente. (Ognuna di queste parole può essere preceduta dalla parola "sotto".)

19. LUCE.

20. Madrid. (Le altre sono Liverpool, Edimburgo e Dover.)

21. 35. (Moltiplicare i tre numeri fuori del triangolo e dividere per due.)

22. 3. (Il disegno 3 contiene più di quattro spazi chiusi.)

23. 219. (Il numero tra parentesi è uguale alla differenza dei numeri fuori delle parentesi moltiplicata per tre.)

24. Macchia. (La chiazza è una macchia e la macchia è una boscaglia.)

25. 1. (La freccia dei minuti va indietro di cinque minuti ogni volta, la freccia delle ore va di due ore avanti ogni volta.)

26. R. (Le lettere delle tre righe, lette a rovescio compongono le parole fuga, sugo e ruga.)

27.  (Le lettere in alto si susseguono alla distanza di quattro posti l'una dall'altra secondo l'ordine alfabetico, quelle in basso mantengono la stessa distanza ma in ordine inverso. La quarta lettera dopo N è R; la quarta prima di M è G.)

28. Seta. (La parola tra parentesi è formata dalla penultima e dalla terz'ultima lettera delle parole fuori delle parentesi.)

29. SOLA.

30. 381. (Tutti gli altri numeri sono divisibili per tre.)

31. 27. (Moltiplicare il numero in alto per quello in basso e dividere per quattro.)

32. 15. (Vi sono due serie di numeri che si alternano. Entrambe aumentano di due, poi di tre, di quattro, ecc. $11 + 4 = 15$.)

33. 2. (In ogni fila uno degli anelli è bianco, uno è tratteggiato e uno è nero; la lineetta fuori del triangolino parte, a turno da uno dei lati; i due disegni fuori dell'anello assumono tre diverse posizioni. Combinando insieme tali particolari richiesti si arriva alla soluzione corretta.)

34. Verdura. (Ognuna di queste parole può essere preceduta dalla parola "passa".)

35. 408. (Il numero tra parentesi è il doppio della differenza tra i numeri prima e i numeri dopo delle parentesi; 648—444=204; 2×204=408.)

36. 9. (Nove non è un numero primo poiché è divisibile per tre.)

37. STECCA.

38. 36. (I numeri sono alternativamente moltiplicati per tre e divisi per due. 12 × 3 = 36.)

39. AGRIVUO. (Alto sta a basso come su sta a giù. Le lettere di queste parole si alternano con lettere senza senso.)

40. 29. (Vi sono due serie di numeri che si alternano. La prima serie è formata da numeri che si ottengono, a partire da 260, sottraendo quattro e dividendo la differenza per due. 62 — 4 = 58; $\frac{58}{2}$ 9. L'altra serie è formata da numeri che, a partire da 216 sono ciascuno la metà del numero precedente.)

TRASFORMAZIONE DEL PUNTEGGIO
IN Q.I.

Per avere il vostro Q.I., trascrivete il punteggio ottenuto (un punto ogni risposta giusta) sulla retta dell'apposito grafico riportato nelle due pagine seguenti. Tracciate una linea verticale dal basso in alto fino ad incontrare la linea diagonale.

Tracciate una linea che, dal punto di incontro con la diagonale vada verso la linea di sinistra ove sono scritti i Q.I.: il punto di incontro dà il vostro Q.I.

Ad ogni test è assegnato un punteggio medio che lo caratterizza e lo inquadra entro precisi limiti di attendibilità all'infuori dei quali non si può ottenere un Q.I. sufficientemente garantito.

Per esempio, nel primo grafico un punteggio di dieci punti è uguale a un Q.I. di 100, come abbiamo illustrato.

I punteggi sono precisi entro questi limiti:

test	punteggio
1, 2	10-22
3, 4	9-21
5, 7, 8	7-19
6	11-23

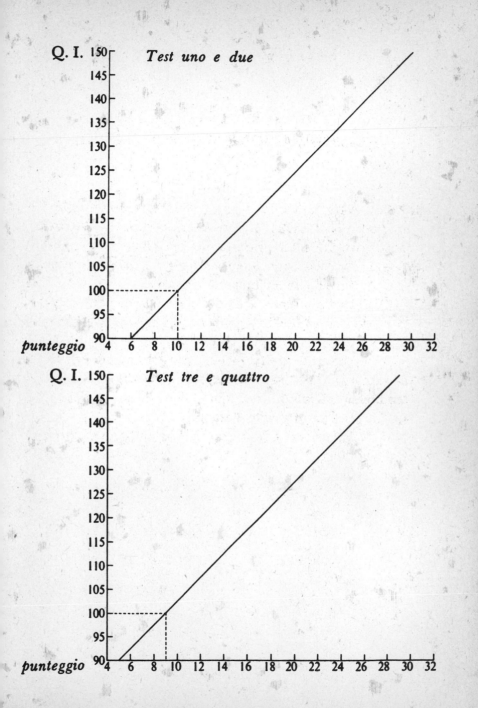

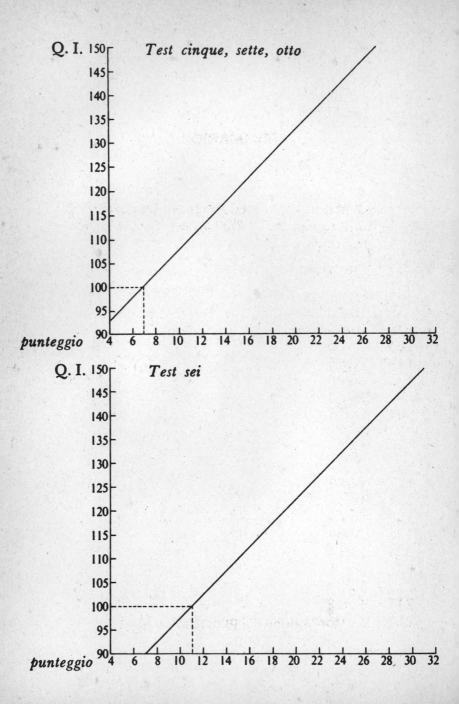

SOMMARIO